Y Biliwnydd Bach

David Walliams

Y Biliwnydd Bach

Addasiad Mared Llwyd
Arlunwaith gan Tony Ross

I Cadog Rhun Gruffudd
M.Ll.

Y fersiwn Saesneg

Hawlfraint y testun © David Walliams 2010
Hawlfraint yr arlunwaith © Tony Ross 2010

Cyhoeddwyd y testun gyntaf fel cyfrol clawr meddal ym Mhrydain Fawr gan Harper
Collins Children's Books yn 2014. Cyhoeddwyd y llyfr clawr meddal ym Mhrydain Fawr yn
2011. Mae HarperCollins Children's Books yn adran o HarperCollinsPublishers Ltd,
1 London Bridge Street, Llundain SE1 9GF
www.harpercollins.co.uk

Testun © David Walliams 2010

Arlunwaith © Tony Ross 2010

Llythrennau enw'r awdur © Quentin Blake 2010

Mae hawliau David Walliams a Tony Ross wedi'u cydnabod fel awdur
a dylunydd y gwaith hwn. Mae eu hawliau wedi'u datgan dan Ddeddf Hawlfreintiau,
Dyluniadau a Phatentau 1988.

Y fersiwn Gymraeg

Y cyhoeddiad Cymraeg © Atebol Cyfyngedig, Adeiladau'r Fagwyr,
Llanfihangel Genau'r Glyn, Aberystwyth, Ceredigion SY24 5AQ

Cyhoeddwyd gan Atebol Cyfyngedig yn 2017

Addaswyd i'r Gymraeg gan Mared Llwyd

Dyluniwyd gan Elgan Griffiths

Golygwyd gan Adran Olygyddol Cyngor Llyfrau Cymru

Cyhoeddwyd gyda chymorth ariannol Cyngor Llyfrau Cymru

www.atebol.com

1

Dyma Twm Sglods

Wyt ti erioed wedi dychmygu sut beth fyddai bod yn filiwnydd?

Neu'n biliwnydd?

Neu'n driliwnydd?

Neu'n fwy-o-arian-na-synnwyr-iwnydd?

Dyma Twm Sglods.

Doedd dim angen i Twm ddychmygu ei fod yn berchen ar lond gwlad o arian. Dim ond deuddeg oed oedd Twm, ond roedd o'n chwerthinllyd o gyfoethog. Yn wirion bost o gyfoethog.

Roedd gan Twm bopeth y byddai arno'i angen byth.

- Teledu plasma sgrin lydan, fflat 100 modfedd o led ym mhob ystafell yn ei dŷ ✓
- 500 pâr o dreinyrs Nike ✓
- Trac rasio ceir yn yr ardd gefn ✓
- Ci robot o Siapan ✓
- Bygi golff â'r plât 'SGLODS 2' i'w yrru o gwmpas gerddi ei dŷ ✓
- Llithren ddŵr yn arwain o'i ystafell wely i bwll nofio maint Olympaidd ✓
- Pob gêm gyfrifiadur yn y byd ✓
- Sinema IMAX 3-D yn y seler ✓
- Crocodeil ✓

- Tylinwraig bersonol ✔
- Ali fowlio 10-lôn dan ddaear ✔
- Bwrdd snwcer ✔
- Peiriant popgorn ✔
- Parc sglefrfyrddio ✔
- Crocodeil arall ✔
- £100,000 yr wythnos o arian poced ✔
- Carwsél ceffylau bach yn yr ardd gefn ✔
- Stiwdio recordio broffesiynol yn yr atig ✔
- Hyfforddwr personol (un o gyn-hyfforddwyr tîm pêl-droed Cymru) ✔
- Siarc go iawn mewn tanc ✔

Mewn geiriau eraill, roedd Twm wedi cael ei ddifetha'n rhacs. Mynychai ysgol tu hwnt o grand. Hedfanai ar awyrennau personol pan âi ar wyliau. Ac un tro, fe drefnwyd cau Disneyland i'r cyhoedd am y diwrnod, fel na fyddai'n rhaid i Twm giwio i fynd ar y reids.

Dyma Twm, yn mynd ar ras o gwmpas ei drac rasio personol yn ei gar rasio Fformiwla Un personol.

Mae gan rai plant hynod gyfoethog fersiynau bychain o geir sydd wedi'u hadeiladu'n arbennig ar eu cyfer. Doedd Twm ddim yn un o'r rheiny. Roedd angen i gar Fformiwla Un Twm gael ei wneud yn

fwy ar ei gyfer. Roedd o'n reit dew, weli di. Wel, mi fyddet yn dew, yn byddet, pe byddet ti'n medru prynu'r holl siocled yn y byd.

Fe sylwi di fod Twm ar ei ben ei hun yn y llun isod. A dweud y gwir, dydi gyrru'n wyllt o gwmpas trac rasio ddim yn fawr o hwyl pan fyddi di ar dy

ben dy hun, hyd yn oed os oes gen ti fwy o arian na synnwyr. Mae'n well o lawer os oes gen ti rywun i rasio yn dy erbyn. Problem Twm oedd nad oedd ganddo unrhyw ffrindiau. Dim un.

● Ffrindiau

Rŵan, dydi gyrru car Fformiwla Un a thynnu'r papur oddi ar Mars Bar anferthol ddim yn ddau beth y dylet ti geisio'u gwneud ar yr un pryd. Ond doedd Twm heb fwyta ers rhai eiliadau ac roedd o ar lwgu. Wrth iddo ddod at dro enfawr yn y trac, fe rwygodd y papur oddi ar y Mars Bar gyda'i ddannedd a chnoi'r siocled bendigedig yn awchus. Yn anffodus, dim ond un llaw oedd gan Twm ar y llyw ar y pryd, ac wrth i olwynion y car daro'n erbyn ymyl y trac, fe gollodd reolaeth.

Sgrialodd y car Fformiwla Un drudfawr oddi ar y trac, chwyrlïo o gwmpas, a tharo coeden.

CCCCCCCcccccccc
CCCCCCCCCRRRRRRRRRR
RRRRAAAAAAAAAAAAAAASSSSSSS
sssssHHHHHHHHHHH
!!!
••

Chafodd y goeden 'mo'i niweidio, ond roedd y car yn rhacs jibidêrs. Gwasgodd Twm ei hun allan o sedd y gyrrwr. Yn ffodus doedd o ddim wedi cael niwed, er iddo gael tipyn o sioc, a simsanodd yn ôl i'r tŷ.

"Dad, dwi wedi cael damwain yn y car," meddai, wrth gerdded i mewn i'r ystafell fyw balasaidd.

Un byr a thew oedd Mr Sglods, yn union fel ei fab. Roedd o tipyn yn fwy blewog mewn sawl man hefyd, heblaw am ei ben – roedd hwnnw'n foel ac yn sgleiniog. Eisteddai tad Twm ar soffa croen crocodeil a lle i gant arni, ond chododd o 'mo'i ben o'i gopi o *Golwg* roedd o wrthi'n ei ddarllen.

"Paid â phoeni, Twm," meddai. "Fe bryna i un arall i ti."

Disgynnodd Twm yn swp ar y soffa yn ymyl ei dad.

"O, a pen-blwydd hapus, gyda llaw, Twm." Rhoddodd Mr Sglods amlen i'w fab, heb dynnu'i lygaid oddi ar lun y ferch brydferth yn y cylchgrawn.

Agorodd Twm yr amlen yn awchus. Faint o arian fyddai ei dad yn ei roi iddo eleni, tybed? Lluchiodd y cerdyn 'Pen-blwydd Hapus, Mab – 12 oed' o'r neilltu er mwyn darllen y siec y tu mewn iddi.

Fedrai Twm ddim cuddio'i siom.

"Miliwn o bunnoedd?" gwawdiodd. "Dyna'i gyd?"

"Beth sydd o'i le, 'machgen i?" Cododd Mr Sglods ei lygaid o'r cylchgrawn am eiliad.

"Fe roddaist ti filiwn i fi *llynedd*," cwynodd Twm, "ar fy mhen-blwydd yn un ar ddeg. Does bosib y dylwn i gael mwy rŵan fy mod i'n ddeuddeg?"

Tynnodd Mr Sglods ei lyfr sieciau o boced ei siwt lwyd ddrudfawr. Roedd ei siwt yn afiach, ac yn afiach o ddrud. "Mae'n wirioneddol ddrwg gen i, 'machgen i," meddai. "Beth am ddwy filiwn?"

Rŵan, mae'n bwysig dy fod ti'n sylweddoli na fu Mr Sglods wastad yn ddyn cyfoethog.

Ychydig flynyddoedd yn ôl, bywyd digon cyffredin oedd gan deulu'r Sglods. Er pan oedd yn un ar bymtheg oed, gweithiai Mr Sglods mewn ffatri papur tŷ bach anferth ar gyrion y dref. Ei waith oedd rolio'r papur o gwmpas y tiwb cardfwrdd.

Rolyn ar ôl rolyn.

Dydd ar ôl dydd.

Blwyddyn ar ôl blwyddyn.

Degawd ar ôl degawd.

Gwnaeth hyn, drosodd a thro, nes bod ei holl obaith, bron, wedi pylu'n llwyr. Safai bob dydd wrth y cludfelt gyda'r cannoedd o weithwyr eraill, a phawb wedi diflasu'n llwyr, yn ailadrodd yr un hen dasg syrffedus. Bob tro y llwyddai i rolio'r papur o gwmpas un o'r tiwbiau cardfwrdd, fe gychwynnai'r broses eto. Ac roedd pob rolyn o bapur tŷ bach yr un peth yn union â'r nesaf. Gan fod y teulu mor dlawd, arferai Mr Sglods wneud anrhegion pen-blwydd a Nadolig i'w fab o'r tiwbiau cardfwrdd. Doedd gan Mr Sglods ddim digon o arian i brynu'r teganau diweddaraf i Twm, ond byddai'n gwneud pethau fel ceir rasio, neu gestyll a dwsinau o filwyr i'w fab, gan ddefnyddio'r tiwbiau cardfwrdd. Fe dorrodd Twm y rhan fwyaf ohonyn nhw, neu fe'u taflwyd i'r bin, ond llwyddodd i achub roced drist iawn yr olwg, er nad oedd o'n siŵr pam, chwaith.

Yr unig beth da ynglŷn â gweithio mewn ffatri oedd fod gan Mr Sglods ddigonedd o amser i synfyfyrio a hel meddyliau. Un diwrnod, cafodd

weledigaeth a fyddai'n chwyldroi'r weithred o sychu pen-ôl ... am byth.

Pam ddim dyfeisio papur tŷ bach sy'n llaith ar un ochr ac yn sych yr ochr arall? meddyliodd, wrth rolio papur o gwmpas y milfed rolyn y diwrnod hwnnw. Cadwodd Mr Sglods ei syniad yn gyfrinach, gan gloi'i hun yn ystafell molchi eu fflat cyngor fechan ac ymlafnio am oriau er mwyn sicrhau fod ei bapur tŷ bach dwyochrog yn berffaith.

Pan lansiodd Mr Sglods 'Sychdin' o'r diwedd, profodd yn llwyddiant ysgubol. Gwerthai Mr Sglods biliwn o roliau ar hyd a lled y byd bob dydd. A phob tro y gwerthai rolyn, fe enillai 10 ceiniog. Gyda'i gilydd, gwnaeth hynny swm mawr iawn o arian, fel y dengys yr hafaliad mathemategol syml yma:

10 ceiniog x 1,000,000,000 rolyn x 365 diwrnod y flwyddyn = lot fawr iawn o arian.

Dim ond wyth oed oedd Twm Sglods pan lansiwyd 'Sychdin', ac fe drawsnewidwyd ei fywyd dros nos. Gynta i gyd, fe wahanodd rhieni Twm. Daeth i'r amlwg fod Caryl, mam Twm, wedi bod yn cael perthynas ag Alun, arweinydd Aelwyd yr Urdd yn y dref, ers blynyddoedd. Cafodd daliad o ddeng biliwn o bunnoedd gan Mr Sglods wrth wahanu, ac fe ffeiriodd Alun ei ganŵ am gwch hwylio enfawr. Yn ôl y suon diweddaraf, roedd Caryl ac Alun yn hwylio oddi ar arfordir Dubai ac yn arllwys siampên drud ar eu cornfflêcs bob bore. Nid effeithiodd y gwahanu yn ormodol ar Mr Sglods; ymhen dim, dechreuodd ganlyn parêd diddiwedd o ferched hardd o'r cylchgronau a ddarllenai o dro i dro.

Cyn hir symudodd y tad a'r mab o'u fflat cyngor cyfyng i blasdy enfawr. Enwodd Mr Sglods eu cartref newydd yn 'Llys Sychdin'.

Roedd y tŷ mor fawr fel bod modd ei weld o'r gofod. Cymerai bum munud i yrru ar hyd y lôn a arweiniai at y tŷ. Safai cannoedd o goed newydd eu plannu yn obeithiol ar hyd y dreif graean milltir o hyd. Roedd saith cegin, deuddeg lolfa, pedwar deg saith ystafell wely ac wyth deg naw ystafell molchi yn y tŷ.

Roedd ystafelloedd molchi *en-suite* yn yr ystafelloedd molchi, hyd yn oed. Ac roedd ystafelloedd molchi *en-suite* yn rhai o'r ystafelloedd molchi *en-suite*.

Er iddo fyw yno ers rhai blynyddoedd bellach, dim ond rhyw chwarter o'r prif dŷ roedd Twm wedi'i archwilio. Roedd yno gyrtiau tennis, llyn cychod, pad glanio hofrenydd a llethr sgio 100m o hyd, yn ogystal â mynyddoedd o eira ffug yn y gerddi di-ben-draw. Roedd pob tap, dolen drws a sedd tŷ bach wedi'u gwneud o aur pur o Gymru. Gwnaed y carpedi o ffwr mincod, yfai Twm a'i dad sgwash oren o gwpanau canoloesol amhrisiadwy o hynafol, ac am gyfnod roedd ganddyn nhw fwtler o'r enw Nedw oedd hefyd yn orangwtan. Bu'n rhaid rhoi'r sac iddo yn y diwedd, ond stori arall yw honno.

"Ga i anrheg *go iawn* hefyd, Dad?" gofynnodd Twm, wrth roi'r siec ym mhoced ei drywsus. "Wedi'r cyfan, mae gen i lwyth o bres yn barod."

"Dwed wrtha i beth hoffet ti, 'machgen i, ac fe ga i un o'm cynorthwywyr personol i'w brynu i ti," meddai Mr Sglods. "Sbectols haul o aur pur? Mae gen i bâr. Fedra i ddim gweld trwyddyn nhw, ond maen nhw'n ddrud iawn."

Dylyfodd Twm ei ên.

"Dy gwch cyflym dy hun?" cynigiodd Mr Sglods.

Roliodd Twm ei lygaid. "Mae gen i ddau o'r rheiny. Cofio?"

"Sorri, 'machgen i. Beth am werth chwarter miliwn o bunnoedd o docynnau llyfrau?"

"Diflas, diflas, diflas!" Stampiodd Twm ei draed mewn rhwystredigaeth. Dyma fachgen â phroblemau uchel-ael.

Edrychai Mr Sglods yn llawn anobaith. Wyddai o ddim a oedd yna unrhyw beth ar ôl yn y byd y gallai ei brynu i'w unig fab. "Felly beth hoffet ti, 'machgen i?"

Yn sydyn, cafodd Twm syniad. Meddyliodd amdano'i hun yn gwibio o gwmpas y trac rasio ar ei ben ei hun bach, heb neb i'w rasio yn ei erbyn. "Wel, mae 'na un peth yr hoffwn i ei gael yn fwy na dim ..." meddai'n betrus.

"A beth yw hwnnw, 'machgen i?" gofynnodd Mr Sglods.

"Ffrind."

2

Twm Tin

"Twm Tin" meddai Twm.

"Twm Tin?" poerodd Mr Sglods. "Pa enwau eraill maen nhw'n eu galw arnat ti yn yr ysgol, 'machgen i?"

"Twm Tŷ Bach."

Ysgydwodd Mr Sglods ei ben mewn anghrediniaeth. Roedd o wedi anfon ei fab i'r ysgol ddrytaf yng Nghymru gyfan – Ysgol Cadwaladr Sant i Fechgyn. Roedd y ffioedd yn £200,000 y tymor ac roedd yn rhaid i'r holl fechgyn wisgo crysau ffrilog a theits Elisabethaidd. Dyma lun o Twm yn ei wisg ysgol. Mae o'n edrych braidd yn wirion, yn tydi?

Felly'r peth diwethaf roedd Mr Sglods yn disgwyl
ei glywed oedd bod ei fab yn cael ei fwlio. Roedd
bwlio'n rhywbeth a ddigwyddai i bobl dlawd. Ond
y gwir amdani oedd fod Twm wedi bod yn destun
gwawd byth ers iddo gychwyn yn yr ysgol. Roedd

y plant cyfoethog yn ei gasáu am fod ei dad wedi gwneud ei ffortiwn yn creu papur tŷ bach. Yn eu barn nhw, roedd hynny'n 'ddi-chwaeth ofnadwy'.

"Y Biliwnydd Pen-ôl, Yr Etifedd Sychu Tin, Meistr Papur Plop," aeth Twm yn ei flaen. "A dim ond yr athrawon yw hynna ..."

Roedd y rhan fwyaf o'r bechgyn yn ysgol Twm yn foneddigion – yn ddugiaid neu'n ieirll, o leiaf.

Roedd eu teuluoedd wedi gwneud eu ffortiwn drwy fod yn berchen ar aceri ac aceri o dir, a hynny ers cenedlaethau lawer. Fe ddysgodd Twm yn gyflym nad oedd unrhyw werth mewn cael arian oni bai ei fod yn y teulu ers canrifoedd. Doedd arian newydd a enillwyd gan eich tad trwy ddyfeisio papur tŷ bach ddim yn cyfri.

Roedd gan y bechgyn crand yn Ysgol Cadwaladr Sant enwau fel Caswallon Aneurin Bendigeidfran

Ednyfed Rhygyfarch Goronwy Awstin Cunedda Taliesin Hwmffre Rheinallt Cynddylan Siarlys Bartholomew Tudur Brwynog Maelgwn Meredydd Tudwal Fychan ap Rhydderch.

A dim ond un bachgen oedd hwnnw.

Roedd y pynciau i gyd yn chwerthinllyd o grand hefyd. Dyma oedd amserlen ysgol Twm:

Dydd Llun

Lladin

Gwisgo hetiau gwellt

Astudio ymddygiad cwrtais

Neidio ceffylau

Dawnsio neuadd

Y Gymdeithas Drafod ('Ym marn y tŷ hwn mae hi'n ddi-chwaeth cau'r botwm gwaelod ar eich gwasgod')

Bwyta sgons

Clymu bow-teis

Dosbarth cynganeddu yn null Beirdd yr Uchelwyr

Polo (y chwaraeon gyda cheffylau a ffyn, nid y mintys)

Dydd Mawrth

Hen Frythoneg

Croquet

Saethu ffesantod

Awr rhoi trwyn yn yr awyr

Dosbarth 'Sut i ymddwyn yn annymunol tuag at weision'

Crwth lefel 3

Hanes sgweieriaid enwocaf Sir Fynwy

Dysgu sut i gamu dros bobl ddigartref wrth adael cyngerdd yng Nghanolfan y Mileniwm

Canfod eich ffordd allan o ddrysfa

Dydd Mercher

Hela llwynogod

Gosod blodau

Sgyrsio am y tywydd

Hanes criced

Hanes esgidiau cryfion

Chwarae Monopoli a phrynu plasdai urddasol

Darllen ôl-rifynnau *Taliesin*

Dosbarth gwerthfawrogi cerdd dant

Dosbarth polisio hetiau sidan

Cleddyfa

Dydd Iau

Awr gwerthfawrogi dodrefn hynafol

Dosbarth newid teiar Range Rover

Trafodaeth ynglŷn â thad pwy yw'r cyfoethocaf

Cystadleuaeth darganfod pwy sy'n perthyn i
linach tywysogion Gwynedd

Dysgu sut i siarad yn grand

Clwb rhwyfo

Gwyddbwyll

Y Gymdeithas Drafod ('Ym marn y tŷ hwn mae
myffins yn well wedi'u tostio')

Astudio arfbeisiau

Darlith ar sut i siarad yn uchel mewn bwytai

Dydd Gwener

Darllen barddoniaeth (Cerddi'r Gogynfeirdd)

Hanes gwisgo melfaréd

Dosbarth tocweithio

Dosbarth gwerthfawrogi cerflunwaith hynafol

Awr dod o hyd i'ch llun yn ô-rifynnau'r *Dinesydd*

Dosbarth dewis testunau trafod ar gyfer ciniawau crand (e.e. drewdod y dosbarth gweithiol)

Hela hwyaid

Serch hynny, nid oherwydd y pynciau gwirion roedd yn gas gan Twm Ysgol Cadwaladr Sant, ond oherwydd bod pawb yn yr ysgol yn edrych i lawr eu trwynau arno. Yn eu barn nhw, roedd y ffaith fod tada rhywun wedi gwneud ei ffortiwn trwy werthu papur tŷ bach yn rhy gomon o lawer.

"Dwi am fynd i ysgol arall, Dad" mynnodd Twm.

"Dim problem. Galla i fforddio dy anfon di i'r ysgolion crandiaf yn y byd. Dwi wedi clywed am y lle 'ma yn y Swistir. Maen nhw'n sgio yn y bore ac yna'n ..."

"Na," atebodd Twm. "Beth am fy anfon i i'r ysgol gyfun leol?"

"Beth?" poerodd Mr Sglods.

"Falle y gwna i ddod o hyd i ffrind yno," meddai Twm. Roedd o wedi gweld y plant yn loetran wrth giatiau'r ysgol wrth iddo gael ei yrru gan *chauffeur* i Ysgol Cadwaladr Sant. Edrychai'r disgyblion fel pe baen nhw'n cael cymaint o hwyl – yn sgwrsio, yn chwarae gemau, yn cyfnewid cardiau. I Twm, ymddangosai'r cyfan mor anhygoel o *normal.*

"Falle, ond yr ysgol gyfun leol ..." meddai Mr Sglods mewn anghrediniaeth. "Wyt ti'n *siŵr*?"

"Ydw," atebodd Twm yn herfeiddiol.

"Gallwn i adeiladu ysgol i ti yn yr ardd gefn, os hoffet ti?" cynigiodd Mr Sglods.

"Na. Dwi isio mynd i ysgol normal. Gyda phlant normal. Dwi isio gwneud *ffrind*, Dad. Does gen i ddim un ffrind yng Nghadwaladr Sant."

"Ond fedri di ddim mynd i ysgol normal. Rwyt ti'n filiwnydd bach! Bydd y plant i gyd naill ai'n dy fwlio di neu isio bod yn ffrindiau efo ti dim ond am dy fod ti'n gyfoethog. Byddai hynny'n hunllef!"

"Os felly, ddyweda i ddim wrth unrhyw un pwy ydw i. Dim ond Twm fydda i. A falle, falle, y gwna i ffrind, neu ddau, hyd yn oed."

Meddyliodd Mr Sglods am funud, cyn dweud yn dyner: "O'r gorau, os taw dyna rwyt ti wirioneddol ei eisiau Twm, yna cei, fe gei di fynd i ysgol normal."

Roedd Twm wedi cyffroi cymaint nes iddo dinfownsio* ar hyd y soffa er mwyn rhoi cwtsh i'w dad.

"Hei, gwylia fy siwt i, 'machgen i," meddai Mr Sglods.

[*Tinfownsio (berf) *Tin-fowns-io.* Y weithred o symud tra eich bod yn eistedd, gan ddefnyddio'ch pen-ôl yn unig fel nad oes yn rhaid i chi godi. Gweithred sy'n ffefryn gan bobl dew iawn.]

"Mae'n flin gen i, Dad," meddai Twm, gan dinfownsio yn ei ôl rhyw fymryn. Cliriodd ei wddf. "Yym ... dwi'n dy garu di, Dad."

"Ia, ia, a finna hefyd, a finna hefyd, 'machgen i," meddai Mr Sglods gan godi ar ei draed. "Wel, gobeithio y cei di ben-blwydd gwerth chweil."

"Dy'n ni ddim am wneud rhywbeth efo'n gilydd heno?" holodd Twm, gan geisio cuddio'i siom. Pan oedd o'n iau, byddai tad Twm wastad yn mynd ag o i'r bwyty byrgyrs lleol ar ei ben-blwydd. Fedren nhw ddim fforddio'r byrgyrs bryd hynny, felly bydden nhw ond yn archebu'r sglodion, a'u bwyta nhw gyda brechdanau ham a phicl a smyglwyd gan Mr Sglods o dan ei het.

"Fedra i ddim, sorri, 'machgen i. Dw i'n mynd ar ddêt gyda'r ferch brydferth 'ma heno," meddai Mr Sglods, gan bwyntio at lun yn un o'i gylchgronau.

Edrychodd Twm ar y dudalen. Roedd yna lun o ferch yn gwisgo'r nesaf peth i ddim. Blonden oedd hi a chan ei bod hi'n gwisgo cymaint o golur roedd hi'n amhosib dweud a oedd hi'n brydferth ai peidio. O dan y llun roedd y capsiwn, 'Rhosyn, 19, o Aberteifi. Hoffi siopa, casáu meddwl.'

"Dwyt ti ddim yn meddwl fod Rhosyn braidd yn ifanc i ti, Dad?" holodd Twm.

"Dim ond saith mlynedd ar hugain sy rhwng y ddau ohonon ni," atebodd Mr Sglods ar amrantiad.

Chafodd Twm 'mo'i argyhoeddi.

"Wel, i ble rwyt ti am fynd â'r Rhosyn 'ma?"

"I glwb nos."

"Clwb nos?" gofynnodd Twm.

"Ie," atebodd Mr Sglods, wedi digio braidd. "Dydw i ddim yn rhy hen i fynd i glwb nos!" Wrth iddo siarad agorodd focs a thynnu ohono'r hyn a edrychai fel bochdew wedi'i guro â gordd, a'i osod ar ei ben.

"Beth ar wyneb y ddaear ydi hwnna, Dad?"

"Beth yw beth, Twm?" atebodd Mr Sglods gan

geisio swnio'n ddiniwed, wrth iddo addasu'r hyll-beth ar ei ben i orchuddio'i gorun moel.

"Y peth 'na ar dy ben di."

"O, hwn. Gwallt gosod yw hwn, 'machgen i! Dim ond deng mil o bunnoedd yr un. Fe brynais i un lliw golau, un brown, un cochlyd, ac un affro ar gyfer achlysuron arbennig. Dwi'n edrych ugain mlynedd yn iau, dwyt ti ddim yn meddwl?"

Doedd Twm ddim yn hoffi dweud celwydd. Doedd y gwallt gosod ddim yn gwneud i'w dad edrych yn iau – yn hytrach gwnâi iddo edrych fel dyn oedd yn ceisio balansio llygoden farw ar ei ben.

"Yym" meddai, gan osgoi rhoi sylw pendant y naill

ffordd neu'r llall. "Reit. Wel, gobeithio y cei di noson dda," ychwanegodd, gan estyn am reolydd y teledu. Dim ond y sgrin 100 modfedd fyddai'n gwmni iddo heno eto, felly.

"Mae 'na gafiar i ti yn yr oergell i swper, Twm," meddai Mr Sglods wrth anelu am y drws.

"Beth yw cafiar?"

"Wyau pysgod."

"Ych a fi!" Doedd Twm ddim yn rhy hoff o wyau arferol. Roedd wyau a ddodwyd gan bysgod yn swnio'n afiach.

"Fe ges i beth ar dost i frecwast. Mae o *yn* anhygoel o afiach, ond mae o'n ddrud felly fe ddylien ni ddechrau'i fwyta fo."

"Allwn ni ddim cael sosej a thatws stwnsh neu sgod a sglods neu bastai'r bugail neu rhywbeth, Dad?"

"Mmmm, ro'n i'n arfer gwirioni ar bastai'r bugail, 'machgen i ..." glafoeriodd Mr Sglods fymryn, fel petai'n dychmygu bwyta llond cegaid o bastai'r bugail.

"Wel, pam lai?"

Ysgydwodd Mr Sglods ei ben yn ddiamynedd. "Na, na, mae'n *rhaid* i ni fwyta'r holl bethau crand 'ma, fel pobl wirioneddol gyfoethog. Wela i di wedyn!"

Caeodd y drws yn glep ar ei ôl ac ychydig eiliadau'n ddiweddarach clywodd Twm sŵn rhuo byddarol Lamborghini lliw leim ei dad yn diflannu ar ras i'r tywyllwch.

Roedd Twm yn siomedig ei fod ar ei ben ei hun unwaith eto, ond fedrai o ddim peidio â gwenu wrtho'i hun wrth droi'r teledu ymlaen. Roedd o'n mynd i fynd i ysgol normal eto, ac yn mynd i fod yn fachgen normal. A falle, *dim ond falle*, byddai'n gwneud ffrind.

Y cwestiwn mawr oedd, pa mor hir fedrai Twm gadw'r ffaith ei fod yn filiwnydd yn gyfrinach ...?

3

Pwy yw'r Tewaf?

O'r diwedd, cyrhaeddodd y diwrnod mawr. Tynnodd Twm ei oriawr ddiemwnt oddi ar ei arddwrn a chuddio'i ysgrifbin aur yn y drôr. Edrychodd ar y bag croen neidr du, drudfawr y prynodd ei dad iddo'n arbennig ar gyfer ei ddiwrnod cyntaf yn ei ysgol newydd, a'i roi yn ôl yn y cwpwrdd. Roedd y bag y *daeth* y bag ynddo, hyd yn oed, yn rhy grand, ond daeth o hyd i hen un plastig yn y gegin a rhoddodd ei lyfrau ysgol yn hwnnw. Roedd Twm yn benderfynol o beidio â thynnu sylw ato'i hun.

O sedd gefn y Rolls-Royce a yrrwyd gan

chauffeur aeth Twm heibio i'r ysgol gyfun leol droeon ar ei ffordd i Ysgol Cadwaladr Sant, gan syllu ar y plant yn gwibio dros yr iard. Afon wyllt o fagiau'n hedfan, geiriau rheg a jel gwallt. Heddiw, byddai yntau'n camu trwy'r giatiau am y tro cyntaf. Ond doedd o ddim am gyrraedd mewn Rolls-Royce – byddai hynny'n awgrymu'n gryf wrth y plant eraill ei fod o'n gyfoethog. Gofynnodd i'r *chauffeur* ei ollwng wrth arhosfan bws cyfagos. Doedd o ddim wedi teithio ar drafnidiaeth gyhoeddus ers tro byd ac wrth iddo aros ger yr arhosfan, teimlodd Twm yr ieir bach yr haf yn dawnsio'n gyffrous yn ei fol.

"Fedra i ddim rhoi newid i ti am hwnna!" meddai gyrrwr y bws.

Doedd Twm ddim wedi sylweddoli na fyddai croeso iddo ddefnyddio papur £50 i dalu am docyn dwy bunt, a bu raid iddo ddringo oddi ar y bws. Ochneidiodd, cyn cychwyn cerdded y ddwy filltir i'r ysgol, ei gluniau tewion yn rhwbio yn erbyn ei gilydd â phob cam.

O'r diwedd cyrhaeddodd Twm gatiau'r ysgol. Am eiliad loetrodd yn nerfus y tu allan. Bu'n byw bywyd o gyfoeth a braint ers cymaint o amser bellach – beth goblyn fyddai'r plant yma'n ei feddwl ohono? Cymerodd Twm anadl ddofn a martsio ar draws yr iard.

Adeg cofrestru, dim ond un plentyn arall oedd yn eistedd ar ei ben ei hun. Edrychodd Twm draw ato. Roedd o'n dew, yn union fel Twm, ac roedd mop o wallt cyrliog ar ei ben. Pan welodd Twm yn syllu arno, gwenodd. Ac ar ôl cofrestru, daeth draw ato.

"Bob ydw i," meddai'r bachgen tew.

"Haia, Bob," atebodd Twm. Roedd y gloch newydd ganu a chychwynnodd y ddau gerdded ar hyd y coridor tuag at wers gynta'r diwrnod.

"Twm ydw i," ychwanegodd. Roedd hi'n rhyfedd bod mewn ysgol lle nad oedd neb yn gwybod pwy

oedd o. Lle nad oedd o'n Twm Tin na'n Filiwnydd
Pen-ôl na'n Twm Tŷ Bach.

"Dwi mor falch dy fod ti yma, Twm. Yn y
dosbarth, hynny yw."

"Pam hynny?" gofynnodd Twm. Roedd o wrth ei
fodd. Roedd hi'n bosib iawn ei fod o wedi dod o hyd
i'w ffrind cyntaf yn barod!

"Oherwydd nid fi yw'r fachgen tewaf yn yr ysgol
mwyach," atebodd Bob yn hyderus, fel petai'n
datgan ffaith bendant.

Gwgodd Twm. Roedd o'n siŵr ei fod o a'r
bachgen arall tua'r un mor dew â'i gilydd.

"Faint wyt ti'n bwyso, 'te?" mynnodd Twm yn
bwdlyd.

"Wel, faint wyt ti'n bwyso?" atebodd Bob.

"Fi ofynnodd gynta!"

Oedodd Bob am eiliad. "Tua wyth stôn."

"Saith stôn ydw i," meddai Twm yn gelwyddog.

"Choelia i fawr dy fod ti'n pwyso saith stôn!"

meddai Bob yn flin. "Dwi'n ddeuddeg stôn a rwyt ti'n dewach o lawer na fi!"

"Ond rwyt ti newydd ddweud taw wyth stôn wyt ti!" cyhuddodd Twm.

"*Ro'n* i'n wyth stôn..." atebodd Bob, "pan o'n i'n fabi."

Cafwyd sesiwn redeg traws gwlad y prynhawn hwnnw – am brofiad erchyll ar unrhyw ddiwrnod ysgol, heb sôn am eich diwrnod cyntaf. Artaith flynyddol a ddyfeisiwyd, fwy na thebyg, yn unswydd er mwyn codi cywilydd ar y plant hynny oedd yn casáu ymarfer corff. Categori y gellid gwasgu Bob a Twm iddo, heb os.

"Ble mae dy ddillad rhedeg di, Bob?" gwaeddodd Mr Siôn, yr athro Addysg Gorfforol sadistaidd, wrth i Bob ymlwybro tuag at y cae chwarae. Gwisgai Bob ei drôns a'i fest, a chroesawyd ei edrychiad gan don o chwerthin o du'r plant eraill.

41

"M-m-m-ae'n rhaid bod rhywun wedi'u cuddio nhw S-s-s-syr," atebodd Bob dan grynu.

"Choelia i fawr!" gwawdiodd Mr Siôn. Fel pob athro Addysg Gorfforol, roedd hi'n anodd ei ddychmygu'n gwisgo unrhyw beth heblaw tracwisg.

"O-o-o-oes rhaid i fi r-r-r-redeg, S-s-s-syr...?"

gofynnodd Bob yn obeithiol.

"O oes, 'machgen i! Dwyt ti ddim yn cael get-awê mor hawdd â hynny. Reit bawb, ar eich marciau, barod ... arhoswch! Ewch!"

I gychwyn, gwibiodd Twm a Bob i ffwrdd fel yr holl blant eraill, ond, ar ôl tua thair eiliad roedd gwynt y ddau yn eu dyrnau a bu raid iddyn nhw gerdded. Cyn hir roedd y gweddill wedi diflannu i'r pellter a gadawyd y ddau dew ar eu pennau eu hunain.

"Fi sy'n dod yn ola bob blwyddyn," nododd Bob, gan agor bar o siocled a chnoi darn ohono'n awchus. "Mae'r plant eraill i gyd yn chwerthin am fy mhen i. Maen nhw'n cael cawod a newid ac yn aros amdana i wrth y llinell derfyn. Gallen nhw i gyd fynd adra, ond yn lle hynny maen nhw'n aros er mwyn fy ngwawdio i."

Gwgodd Twm. Doedd hynny ddim yn swnio'n hwyl. Penderfynodd nad oedd am ddod yn olaf, a chynyddodd ei gamau fymryn, er mwyn sicrhau ei fod hanner cam o flaen Bob.

Syllodd Bob arno, a chynyddodd ei gamau yntau, gan gyrraedd cyflymder o hanner milltir yr awr, o leiaf. O weld yr olwg benderfynol ar ei wyneb, gwyddai Twm fod Bob yn gobeithio taw eleni fyddai ei gyfle euraid i beidio â gorffen yn olaf.

Cynyddodd Twm ei gamau unwaith eto. Roedd y ddau'n loncian, bron, bellach. Roedd hi'n ras go iawn, am y wobr arbennig – cael gorffen yn ail olaf! Doedd Twm wir ddim eisiau cael ei guro mewn ras draws gwlad ar ei ddiwrnod cyntaf yn yr ysgol gan fachgen tew mewn trôns a fest!

Ar ôl yr hyn a deimlai fel tragwyddoldeb, ymddangosodd y llinell derfyn yn smotyn niwlog yn y pellter. Roedd y ddau fachgen wedi ymlâdd ar ôl cerdded nerth eu traed fel dwy hwyaden dew.

Yn sydyn, digwyddodd trychineb. Teimlodd Twm bigyn poenus yn ei ochr. "Awww!" llefodd.

"Beth sydd o'i le?" gofynnodd Bob, a oedd bellach rai centimetrau ar y blaen.

"Mae gen i bigyn ... rhaid i fi stopio. Awww ..."

"Cymryd arnat rwyt ti. Fe driodd merch bymtheg stôn chwarae'r tric yna arna i llynedd ac yn y diwedd fe gurodd hi fi o chwarter eiliad."

"Awww. Dwi'n dweud y gwir," llefodd Twm, gan ddal yn dynn yn ei ochr.

"Wnei di ddim fy nhwyllo i, Twm. Ti fydd ola, ac eleni bydd holl blant y flwyddyn yn chwerthin am dy ben di!" meddai Bob yn fuddugoliaethus, wrth iddo gamu ymhellach ar y blaen.

Bod yn destun gwawd ar ei ddiwrnod cyntaf yn yr ysgol oedd y peth olaf roedd Twm ei eisiau. Cafodd ddigon ar y plant eraill yn chwerthin am ei ben yn Ysgol Cadwaladr Sant. Serch hynny, âi'r pigyn yn fwy a mwy poenus â phob cam. Roedd fel petai'n llosgi twll yn ei ochr. "Beth os gwna i roi pum punt i ti am ddod yn ola?" cynigiodd.

"Dim ffiars o beryg!" atebodd Bob, gan duchan.

"Deg punt?"

"Na."

"Ugain punt?"

"Tria'n galetach."

"Hanner can punt?"

Stopiodd Bob, a throi i edrych ar Twm.

"Hanner can punt ..." meddai. "Mae hynny'n lot fawr o siocled."

"Ydi," atebodd Twm. "Llwyth."

"Iawn ... dêl. Ond dwi isio'r prês rŵan."

Chwiliodd Twm trwy'i bocedi a dod o hyd i bapur hanner can punt.

"Beth yw hwnna?" holodd Bob.

"Papur hanner can punt."

"Dwi erioed wedi gweld un o'r blaen. O ble gest ti fo?"

"Yym ... wel... roedd hi'n ben-blwydd arna i yr wythnos diwethaf, ti'n gweld ..." meddai Twm, gan faglu dros ei eiriau. "A rhoddodd fy nhad o'n anrheg i fi."

Astudiodd y bachgen tewaf o'r ddau (dim ond o drwch blewyn) y papur am eiliad, a'i ddal at y golau fel petai'n llawysgrif amhrisiadwy. "Rargol! Mae'n rhaid bod dy dad yn graig o bres," meddai.

Byddai'r gwirionedd – sef bod Mr Sglods wedi rhoi dwy filiwn o bunnoedd yn anrheg pen-blwydd i'w fab - wedi bod yn ormod i feddwl bach tew Bob. Felly ddywedodd Twm ddim byd.

"Na, ddim mewn gwirionedd," atebodd.

"O'r gorau, 'te," meddai Bob. "Fe ddof i'n ola eto. Am hanner can punt byddwn i'n barod i orffen fory os hoffet ti."

"Na, byddai ychydig gamau y tu ôl i fi yn grêt, atebodd Twm. "Er mwyn bod yn gredadwy."

Ymlwybrodd Twm yn ei flaen yn araf bach, gan barhau i ddal yn ei ochr mewn poen. Daeth cannoedd o wynebau bach â gwenau creulon arnynt i'r golwg. Croesodd y bachgen newydd y llinell derfyn i sŵn peth chwerthin gwawdlyd. Yn llusgo y tu ôl iddo roedd Bob, yn dal yn dynn yn y darn hanner can punt, gan nad oedd poced yn ei drôns. Wrth iddo nesáu at y llinell derfyn dechreuodd y plant lafarganu:

"BLOB! BLOB! BLOB! BLOB! BLOB! BLOB! BLOB! BLOB! BLOB! BLOB! BLOB! BLOB! BLOB! BLOB! BLOB! BLOB! BLOB! BLOB!"

Aeth y llafarganu'n uwch ac yn uwch:

"BLOB! BLOB! BLOB!
BLOB! BLOB! BLOB!
BLOB! BLOB! BLOB!
BLOB! BLOB! BLOB!
BLOB! BLOB! BLOB!
BLOB! BLOB! BLOB!
BLOB! BLOB! BLOB!
BLOB! BLOB! BLOB!
BLOB! BLOB! BLOB!
BLOB! BLOB! BLOB!

BLOB! BLOB! BLOB!
BLOB! BLOB! BLOB!"

Yna dechreuodd y dorf glapio wrth lafarganu.

BLOB! BLOB! BLOB! BLOB! BLOB!
BLOB! BLOB! BLOB! BLOB! BLOB!
BLOB! BLOB! BLOB! BLOB! BLOB!
BLOB! BLOB! BLOB! BLOB! BLOB!
BLOB! BLOB! BLOB! BLOB! BLOB!
BLOB! BLOB! BLOB! BLOB! BLOB!
BLOB! BLOB! BLOB! BLOB! BLOB!
BLOB! BLOB! BLOB! BLOB! BLOB!
BLOB! BLOB! BLOB! BLOB! BLOB!
BLOB! BLOB! BLOB! BLOB! BLOB!
BLOB! BLOB! BLOB! BLOB! BLOB!
BLOB! BLOB! BLOB! BLOB! BLOB!
BLOB! BLOB!"

Taflodd Bob ei gorff yn benderfynol ar draws y llinell derfyn.

"HA! HA! HA! HA! HA!
HA! HA! HA! HA! HA! HA!
HA! HA! HA! HA! HA! HA! HA!
HA! HA! HA! HA! HA! HA! HA! HA!
HA! HA! HA! HA! HA! HA! HA!
HA! HA! HA! HA! HA! HA!
HA! HA! HA! HA! HA! HA!
HA! HA! HA! HA!
HA! HA! HA! HA! HA! HA!

HA! HA! HA! HA! HA! HA!
HA! HA! HA! HA! HA! HA!
HA! HA! HA! HA! HA! HA! HA! HA! HA!
HA! HA! HA! HA! HA! HA! HA!
HA! HA! HA!"

Roedd y plant eraill yn crio chwerthin ar lawr, gan bwyntio at Bob wrth iddo yntau blygu yn ei gwman a'i wynt yn ei ddwrn.

Trodd Twm a theimlo pang sydyn o euogrwydd.

Wrth i'r plant ysgol wasgaru, aeth draw at Bob a'i helpu i sefyll yn syth.

"Diolch," meddai Twm.

"Croeso," atebodd Bob. "A bod yn onest, fe ddyliwn i fod wedi gwneud hynna beth bynnag. Pe byddet ti wedi dod yn ola ar dy ddiwrnod cynta un fyddet ti heb glywed diwedd y peth. Ond y flwyddyn nesaf byddi di ar dy ben dy hun. Dwi'n hidio dim os cynigi di filiwn o bunnoedd i fi – dwi ddim am ddod yn ola eto!"

Meddyliodd Twm am y siec a dderbyniodd ar ei ben-blwydd. "Beth am ddwy filiwn o bunnoedd?" meddai, gan dynnu coes.

"Dêl!" atebodd Bob, gan chwerthin. "Dychmyga petai gen ti gymaint â hynny o bres go iawn. Byddai hynny'n wallgo! Gallet ti gael popeth y byddet ti ei isio!"

Gorfododd Twm ei hun i wenu. "Gallet," meddai. "O bosib ..."

4

"Papur Tŷ Bach?"

"Felly, wnest ti anghofio dy ddillad ymarfer corff yn fwriadol?" gofynnodd Twm.

Roedd Mr Siôn wedi cloi'r ystafelloedd newid erbyn i Twm a Bob orffen rhedeg y ras draws gwlad ... wel, cerdded y ras draws gwlad. Safai'r ddau y tu allan i'r adeilad concrid llwyd, a Bob yn crynu yn ei drôns. Roedden nhw eisoes wedi bod i chwilio am ysgrifenyddes yr ysgol, ond doedd yr un enaid byw ar ôl yn yr holl adeilad. Wel, heblaw am y gofalwr, nad oedd fel petai'n gallu siarad Cymraeg. Nac unrhyw iaith arall, o ran hynny.

"Naddo," atebodd Bob, wedi'i frifo braidd gan yr

awgrym. "Efallai nad ydw i'n gallu rhedeg yn gyflym, ond dwi ddim yn gymaint â hynny o lwfrgi."

Wrth iddyn nhw ymlwybro trwy dir yr ysgol – Twm yn ei grys-T a'i siorts a Bob yn ei fest a'i drôns – edrychai'r bechgyn fel dau a gafodd eu gwrthod mewn clyweliad ar gyfer ymuno â band pop.

"Felly pwy aeth â nhw?" gofynnodd Twm.

"Dwn i'm. Y Sgramiaid, o bosib –nhw yw bwlis yr ysgol."

"Y Sgramiaid?"

"Ie. Maen nhw'n efeilliaid."

"O," atebodd Twm. "Dwi heb gwrdd â nhw eto."

"Fe wnei di," atebodd Bob yn benisel. "Wyddost ti be? Dwi'n teimlo'n wael am fynd â dy bres pen-blwydd oddi arnat ti ..."

"Does dim angen i ti," meddai Twm. "Mae'n iawn."

"Ond mae hanner can punt yn llawer o bres," protestiodd Bob.

Doedd hanner can punt ddim yn llawer o arian i

deulu'r Sglods. Dyma ambell beth y byddai Twr,
dad yn ei wneud â phapurau hanner can punt:

- Eu defnyddio yn lle hen ddarnau o bapur
  newydd er mwyn cynnau'r barbyciw
- Cadw pentwr ohonyn nhw wrth y ffôn a'u
  defnyddio fel *Post-its*
- Eu defnyddio i leinio caets y bochdew ac yna'u
  taflu ar ôl wythnos wedi iddyn nhw ddechrau
  drewi o bi-pi bochdew

- Gadael i'r bochdew ddefnyddio un ohonyn nhw fel tywel ar ôl iddo gael bath
- Hidlo coffi trwyddyn nhw
- Creu hetiau papur i'w gwisgo ar ddiwrnod Nadolig

- Chwythu eu trwynau ynddyn nhw
- Poeri hen ddarn o gwm cnoi ynddyn nhw cyn eu crychu'n beli a'u rhoi i fwtler a fyddai'n eu rhoi i was a fyddai'n eu rhoi i forwyn a fyddai'n eu rhoi yn y bin
- Eu defnyddio i wneud awyrennau papur a'u taflu at ei gilydd
- Eu defnyddio i bapuro'r tŷ bach lawr grisiau

"Anghofiais ofyn ..." meddai Bob. "Beth yw gwaith dy dad?"

Dechreuodd Twm banicio am foment. "Yym ... mae o'n ... yym, mae o'n gwneud roliau papur tŷ bach," atebodd, gan ddweud celwydd golau.

"Papur tŷ bach?" meddai Bob. Fedrai o ddim peidio â gwenu.

 "Ia," atebodd Twm yn bendant. "Mae o'n gwneud roliau papur tŷ bach."

Stopiodd Bob wenu. "Ond dydi hynny ddim yn waith sy'n talu'n dda."

Gwingodd Twm. "Yym ... na, dydi o ddim."

"Felly mae'n rhaid bod dy dad wedi gorfod cynilo ers wythnosau er mwyn rhoi £50 i ti. Cymer o." Rhoddodd Bob y papur hanner can punt, a oedd bellach wedi crychu ychydig, yn ofalus yn ôl i Twm.

"Na, cadwa di fo," protestiodd Twm.

Gwasgodd Bob yr arian i gledr llaw Twm. "Dy bres pen-blwydd di ydi o. Cadwa fo."

Gwenodd Twm yn ansicr a chau ei law dros yr arian. "Diolch, Bob. Felly beth mae dy dad di'n ei wneud?"

"Buodd fy nhad i farw llynedd."

Cerddodd y ddau yn eu blaenau mewn tawelwch am ychydig. Y cyfan a glywai Twm oedd sŵn ei galon yn curo. Fedrai o ddim meddwl am unrhyw beth i'w ddweud. Teimlai'n ofnadwy o flin dros ei ffrind newydd. Yna cofiodd fod pobl weithiau'n dweud "Mae'n ddrwg gen i" ar ôl i rywun farw.

"Mae'n ddrwg gen i," meddai.

"Does dim bai arnat ti," meddai Bob.

"Hynny yw, wel, mae'n ddrwg gen i glywed ei fod o wedi marw."

"Mae'n ddrwg gen i hefyd."

"Sut fuodd o ... wyddost ti?"

"Cancr. Roedd o'n ofnadwy. Fe aeth o'n salach ac

yn salach ac yna un diwrnod fe dynnon nhw fi o'r ysgol ac fe es i i'r ysbyty. Fe eisteddon ni wrth ei wely fo am oesoedd yn gwrando arno'n anadlu'n wan ac yna'n sydyn dyma'r sŵn jyst yn stopio. Fe redais i nôl y nyrs ac fe ddaeth hi i'r ystafell a dweud ei fod o 'wedi mynd'. Dim ond fi a Mam sydd rŵan."

"Beth mae dy fam di'n ei wneud?"

"Mae hi'n gweithio yn Tesco. Ar y tils. Dyna lle y cwrddodd hi â Dad. Byddai o'n mynd i siopa ar fore dydd Sadwrn. Roedd o'n arfer tynnu coes taw 'dim ond mynd mewn am beint o laeth wnes i ond fe adawais i efo gwraig!'"

"Roedd o'n ddyn doniol, oedd o?" holodd Twm.

"Oedd," atebodd Bob, gan wenu. "Mae gan Mam swydd arall hefyd. Mae hi'n glanhau mewn cartref hen bobl gyda'r nos, er mwyn cael dau pen llinyn ynghyd."

"Ew!" ebychodd Twm. "Dydi hi ddim yn blino?"

"Ydi," meddai Bob. "Felly fi sy'n gwneud y rhan fwyaf o'r gwaith glanhau ac ati gartre."

Teimlai Twm yn flin ofnadwy dros Bob. Ers ei fod yn wyth oed doedd Twm ddim wedi gorfod gwneud unrhyw beth i helpu gartref – roedd y bwtler neu'r forwyn neu'r garddwr neu'r *chauffeur* neu pwy bynnag wastad wrth law i wneud popeth. Tynnodd y papur hanner can punt o'i boced. Os oedd ar rywun angen yr arian yn fwy nag ef, Bob oedd hwnnw. "Plis, Bob, cadwa'r £50."

"Na. Dwi ddim isio fo. Byddwn i'n teimlo'n wael."

"Wel, o leia gad i fi brynu siocled i ti, 'te."

"O'r gorau," meddai Bob. "Beth am fynd i siop Huw?"

5

Wyau Clwc

D<small>ING</small>!

Na, ddarllenydd, nid cloch dy ddrws ffrynt di oedd honna. Does dim angen i ti godi ar dy draed. Dyna sŵn cloch siop Huw yn tincial wrth i Bob a Twm agor y drws.

"A-ha, Bob, fy hoff gwsmer!" meddai Huw. "Croeso, croeso!"

Huw oedd perchennog y siop bapurau leol. Roedd holl blant yr ardal yn ei addoli. Roedd o fel yr ewythr digri y carai pawb ei gael. Ac, yn well na dim, roedd o'n gwerthu losin.

"Haia, Huw!" meddai Bob. "Dyma Twm."

"Helô, Twm," ebychodd Huw. "Dau fachgen tew yn fy siop ar yr un pryd. Mae'n rhaid bod yr Arglwydd yn gwenu arna i heddiw! Pam fod y ddau ohonoch chi'n gwisgo cyn lleied o ddillad?"

"Ry'n ni newydd fod yn rhedeg ras draws gwlad, Huw," esboniodd Bob.

"Gwych! Sut wnaethoch chi?"

"Cynta ac ail ..." atebodd Bob.

"Mae hynna'n anhygoel!" ebychodd Huw.

"... ola," gorffennodd Bob.

"Dydi hynny ddim mor anhygoel. Ond dwi'n siŵr eich bod chi fechgyn ar lwgu ar ôl yr holl ymarfer corff 'na. Sut galla i'ch helpu chi heddiw?"

"Ry'n ni am brynu siocled," meddai Twm.

"Wel, ry'ch chi wedi dod i'r lle iawn! Mae gen i'r dewis gorau o fariau siocled ar yr holl stryd!" cyhoeddodd Huw yn falch. O ystyried taw siop ddillad babis a siop flodau a gaewyd ers blynyddoedd oedd y ddwy arall ar y stryd, doedd hynny'n fawr o gamp mewn gwirionedd, ond ddywedodd y bechgyn ddim byd.

Rŵan, un peth roedd Twm yn gwbl sicr ohono oedd nad oedd yn rhaid i siocled fod yn ddrud i fod yn flasus. Mewn gwirionedd, ar ôl blynyddoedd o loddesta ar y siocledi drytaf o Wlad Belg a'r Swistir, daeth Twm a'i dad i sylweddoli nad oedden nhw hanner mor flasus â bar o Yorkie, neu fag o Minstrels.

Neu, i arbenigwr o fri, Double Decker.

"Wel, rhowch wybod os galla i'ch helpu chi, wŷr bonheddig," meddai'r siopwr.

Roedd y stoc yn siop Huw wedi'u gosod blith draphlith i gyd. Pam fod cylchgrawn *Wcw a'i Ffrindiau* y drws nesaf i'r glud? Os nad oeddech chi'n gallu dod o hyd i'r cnau mwnci, yna roedd hi'n bur debygol eu bod nhw'n cuddio o dan gopi o *Lol* o 1982. Ac oedd wir angen i'r *Post-its* fod yn y rhewgell?

Serch hynny, tyrrai'r bobl leol i'r siop gan eu bod nhw wedi gwirioni ar Huw, ac roedd yntau wedi gwirioni ar ei gwsmeriaid hefyd, yn enwedig Bob. Bob oedd un o'i gwsmeriaid ffyddlonaf, heb os.

"Ry'n ni'n iawn am y tro, diolch," atebodd Bob. Roedd o wrthi'n chwilio am rywbeth arbennig ymhlith y rhesi ar resi o losin. A heddiw, doedd arian ddim yn broblem. Roedd gan Twm bapur hanner can punt yn ei boced. Fe allen nhw fforddio un o'r wyau Pasg wedi dyddio, hyd yn oed.

"Mae'r Wispas yn dda iawn heddiw, fechgyn. Yn ffres y bore 'ma," mentrodd Huw.

"Ry'n ni ond yn edrych, diolch," atebodd Bob yn gwrtais.

"Mae'r wyau siocled yn dymhorol – dim ond chwe mis sy ers y Pasg," cynigiodd y siopwr.

"Diolch," meddai Twm gan wenu'n serchog.

"Dim ond dweud, foneddigion – dwi yma i'ch helpu," meddai Huw. "Os oes gynnoch chi unrhyw gwestiwn, cofiwch ofyn."

"Fe wnawn ni," meddai Twm.

Cafwyd eiliad o dawelwch.

"Dylwn i ddweud, hefyd – does dim Flake gen i heddiw, foneddigion," aeth Huw yn ei flaen. "Problem gyda'r cyflenwyr, ond fe ddylen nhw fod yma fory."

"Diolch am roi gwybod," meddai Bob. Edrychodd o a Twm ar ei gilydd. Roedden nhw'n ysu i'r siopwr adael llonydd iddyn nhw gael pori mewn heddwch.

"Galla i argymell y Ripple. Fe ges i un gynnau ac maen nhw'n fendigedig ar hyn o bryd."

Nodiodd Twm yn gwrtais.

"Iawn, fe adawa i lonydd i chi gael dewis drosoch chi'ch hunain. Fel ddywedais i, dwi yma i'ch helpu."

"Ga i un o'r rhain, plis?" gofynnodd Bob, gan godi bar enfawr o siocled plaen a'i ddangos i Twm.

Chwarddodd Twm. "Cei, wrth gwrs!"

"Dewis gwych, foneddigion. Mae 'na gynnig arbennig arnyn nhw heddiw. Prynwch ddeg, cewch un am ddim," meddai Huw.

"Dim ond un sydd ei angen arnon ni rŵan, Huw," atebodd Bob.

"Prynwch bump, cewch hanner un am ddim?"

"Na, dim diolch," meddai Twm. "Faint ydi o?"

"£3.20, os gweli di'n dda."

Tynnodd Twm y papur hanner can punt o'i boced.

Syllodd Huw arno mewn rhyfeddod. "Rargol! Dwi erioed wedi gweld un o'r rheina o'r blaen. Mae'n rhaid dy fod ti'n fachgen ifanc cyfoethog dros ben!"

"Na, ddim o gwbwl," meddai Twm.

"Ei dad roddodd o iddo ar ei ben-blwydd," ymunodd Bob yn y sgwrs.

"Am fachgen lwcus," meddai Huw. Syllodd ar Twm. "Wyddost ti, ddyn ifanc, rwyt ti'n edrych yn gyfarwydd."

"Ydw i?" atebodd Twm yn nerfus.

"Wyt. Dwi'n siŵr 'mod i wedi dy weld di yn rhywle o'r blaen." Tapiodd Huw ei ên wrth feddwl. Syllodd

Bob arno mewn penbleth. "Do. Fe welais i lun ohonot ti mewn cylchgrawn y diwrnod o'r blaen."

"Dwi'n amau hynny, Huw," chwarddodd Bob. "Gwaith ei dad yw gwneud roliau papur tŷ bach!"

"Dyna ni!" ebychodd Huw. Chwiliodd drwy bentwr o hen gopïau o'r *Western Mail* cyn dod o hyd i atodiad '100 Person Mwyaf Cyfoethog Cymru'. Dechreuodd Twm gynhyrfu. "Mae'n rhaid i fi fynd."

Bodiodd Huw trwy'r tudalennau.

"Dyna ti!" ebychodd gan bwyntio at lun o Twm yn eistedd yn lletchwith ar foned ei gar rasio Fformiwla Un. Dechreuodd ddarllen o'r atodiad: "Plant Cyfoethocaf Cymru. Rhif un: Twm Sglods, deuddeg oed. Etifedd 'Sychdin'. Gwerth tybiedig, deg biliwn."

Disgynnodd darn mawr o siocled o geg Bob i'r llawr. "Deg *biliwn*?"

"Does gen i ddim deg biliwn, dim ffiars o beryg," protestiodd Twm, gan gochi. "Mae'r cyfryngau wastad yn gor-ddweud. Wyth biliwn sydd gen i, ar y mwyaf. A fydda i ddim hyd yn oed yn cael y rhan fwyaf ohono nes 'mod i'n hŷn."

"Mae hynna dal yn lot fawr o bres!" ebychodd Bob.

"Ydi, am wn i."

"Pam na ddywedaist ti wrtha i? Ro'n i'n meddwl ein bod ni'n ffrindiau."

"Mae'n wir ddrwg gen i," cychwynnodd Twm. "Ro'n i jyst isio bod yn normal. Ac mae gen i gymaint o gywilydd 'mod i'n fab i filiwnydd papur tŷ bach."

"Na na na, fe ddylet ti fod yn falch o lwyddiant dy dad!" ebychodd Huw. "Mae ei stori o'n ysbrydoliaeth i ni i gyd – dyn cyffredin a ddaeth yn filiwnydd yn sgil un syniad syml!"

Feddyliodd Twm erioed felly am ei dad.

"Fe chwyldrodd Terwyn Sglods y weithred o sychu pen-ôl am byth!" chwarddodd Huw.

"Diolch, Huw."

"Rŵan, dwed wrth dy dad 'mod i newydd

ddechrau defnyddio Sychdin, a dwi wrth fy modd efo fo! Dydi fy mhen-ôl i erioed wedi sgleinio cymaint! Wela i chi'r tro nesa!"

Cerddodd y ddau fachgen mewn tawelwch ar hyd y stryd. Y cyfan oedd i'w glywed oedd sŵn Bob yn sugno'r siocled rhwng ei ddannedd. "Fe ddywedaist ti gelwydd wrtha i," meddai.

"Wel, fe wnes i ddweud ei fod o'n gweithio gyda phapur tŷ bach," meddai Twm yn anesmwyth.

"Do, ond ..."

"Wn i. Mae'n flin gen i." Ar ôl un diwrnod yn unig yn ei ysgol newydd roedd cyfrinach Twm eisoes wedi'i datgelu. "Yli, cymer di'r newid," meddai, gan estyn i'w boced am y ddau bapur ugain punt.

Edrychai Bob fel petai wedi'i ddigio. "Dwi ddim isio dy bres di."

"Ond dwi'n filiwnydd," meddai Twm. "Ac mae gan fy nhad beth wmbreth o bres. Dwi ddim hyd yn oed yn gwybod beth mae hynny'n ei olygu, ond dwi'n gwybod ei fod o'n llawer iawn. Cymer o – wir. A chymer y rhain hefyd." Tynnodd rolyn o bapurau £50 o'i boced.

"Dwi ddim isio rheina chwaith," meddai Bob yn dawel.

Fedrai Twm ddim coelio'i glustiau. "Pam ddim?"

"Achos dwi'n hidio dim am dy bres di. Ro'n i'n mwynhau treulio amser yn dy gwmni di heddiw, dyna'i gyd."

Gwenodd Twm. "A dwi wedi mwynhau bod yn dy gwmni di hefyd." Pesychodd. "Yli, mae'n wirioneddol ddrwg gen i. Ond, ond ... roedd y plant yn fy hen ysgol yn arfer fy mwlio i gan taw fi oedd Y Biliwnydd Pen-ôl. Ro'n i ond am fod yn blentyn normal."

"Fedra i ddeall hynny," meddai Bob. "Hynny yw, fe fyddai hi'n braf dechrau o'r dechrau eto."

"Byddai," cytunodd Twm.

Stopiodd Bob, ac estyn ei law. "Fi yw Bob," meddai.

Ysgydwodd Twm ei law. "Twm Sglods."

"Dim cyfrinachau eraill?"

"Na," atebodd Twm, gan wenu. "Dyna ni."

"Da iawn." Roedd Bob yn gwenu hefyd.

"Wnei di ddim dweud wrth unrhyw un yn yr ysgol, wnei di," meddai Twm, "am y ffaith 'mod i'n filiwnydd? Mae gen i gymaint o gywilydd. Yn enwedig os gwnân nhw ddod i wybod sut y gwnaeth fy nhad ei ffortiwn. Plis?"

"Dim os nad wyt ti am i fi wneud."

"Dwi ddim. Dwi wir ddim."

"Wna i ddim 'te."

"Diolch."

Aeth y ddau yn eu blaenau i lawr y stryd. Ar ôl ychydig gamau fedrai Twm ddim aros eiliad yn rhagor. Trodd at Bob, a oedd eisoes wedi llowcio hanner y bar enfawr o siocled. "Ga i fymryn o siocled 'te?" holodd.

"Cei, wrth gwrs. Mae hwn i ni ei rannu," meddai Bob, gan dorri darn pitw o'r siocled i'w ffrind.

6

Y Sgramiaid

"HEI, BLOB!" daeth bloedd o'r tu ôl iddyn nhw.

"Jyst cerdda," meddai Bob.

Trodd Twm i edrych y tu ôl iddo a gweld pâr o efeilliaid brawychus yr olwg – fel gorilas mewn siwtiau dynol. Mae'n rhaid taw dyma'r Sgramiaid erchyll y soniodd Bob amdanyn nhw.

"Paid ag edrych y tu ôl i ti," meddai Bob. "Dwi o ddifri. Jyst cerdda." Dechreuodd Twm ddyheu am gael hamddena ym moethusrwydd sedd gefn y Rolls-Royce y foment honno, yn hytrach na cherdded i'r arosfan bws.

"TEWGI!"

Wrth i Twm a Bob gerdded yn gynt, clywodd y ddau sŵn traed y tu ôl iddyn nhw. Er ei bod hi'n gynnar o hyd, roedd awyr y gaeaf eisoes yn tywyllu. Wrth i oleuadau'r stryd gynnau ymddangosai pyllau o oleuni melyn ar draws y ddaear wlyb.

"Tyrd, beth am redeg i lawr fan hyn?" awgrymodd Bob. Aeth y ddau fachgen ar eu hunion i lawr stryd gefn a chuddio y tu ôl i fin gwyrdd enfawr wrth fynedfa gefn bwyty'r Palas Pasta.

"Dwi'n meddwl ein bod ni wedi'u colli nhw," sibrydodd Bob.

"Ai nhw yw'r Sgramiaid?" holodd Twm.

"Shhh. Paid â siarad yn rhy uchel!"

"Sorri!" sibrydodd Twm.

"Y bwlis?"

"Ie, dyna ni. Maen nhw'n efeilliad unfath. Dei a Siw Sgram."

"*Siw*? Merch ydi un ohonyn nhw?" Byddai Twm yn tyngu iddo sylwi ar flew trwchus ar wynebau'r ddau efell pan drodd a'u gweld yn eu dilyn.

"Ie, merch yw Siw," atebodd Bob, fel petai Twm yn rhyw fath o dwpsyn hanner call a dwl.

"Felly fedran nhw ddim bod yn unfath," sibrydodd Twm. "Hynny yw, os yw un yn fachgen a'r llall yn ferch."

"Wel, na, ond mae'n amhosib gwahaniaethu rhynddyn nhw."

Yn sydyn, clywodd Twm a Bob sŵn traed yn nesáu.

"Dwi'n ogleuo bechgyn tew!" daeth llais o'r tu draw i'r bin. Hyrddiodd y Sgramiaid y bin i'r ochr gan ddatgelu'r ddau fachgen yn cyrcydu y tu ôl iddo. Edrychodd Twm yn iawn ar y ddau am y tro cyntaf. Roedd Bob yn llygad ei le. Roedd y Sgramiaid yr un ffunud â'i gilydd. Roedd eu gwalltiau wedi'u torri'n gwta, gwta ac roedd gan y ddau fwstashys a migyrnau blewog. Am anffodus i'r ddau ohonyn nhw, meddyliodd Twm.

Beth am i ni, ddarllenydd, chwarae gêm o 'Beth sy'n wahanol?'

Fedri di sylwi ar ddeg gwahaniaeth rhwng y ddau Sgram isod?

Na, fedri di ddim. Maen nhw'r un fath yn union.

Chwythodd chwa o wynt oer trwy'r stryd gefn. Rowliodd can diod gwag heibio ar y llawr. Daeth symudiad sydyn o'r llwyni.

"Sut aeth y rhedeg traws gwlad heb dy ddillad ymarfer corff di heddiw, Blob?" gwawdiodd un o'r Sgramiaid.

"Ro'n i'n gwybod taw chi'ch dau oedd wrthi!" atebodd Bob yn flin. "Felly beth wnaethoch chi â'r dillad?"

"Maen nhw yn y gamlas!" chwarddodd y llall.

"Rŵan, rho dy siocled i ni." Doedd clywed eu lleisiau, hyd yn oed, yn datgelu dim ynghylch pa un oedd Dei a pha un oedd Siw. Amrywiai traw lleisiau'r ddau o uchel i isel o fewn un frawddeg.

"Dwi'n mynd â darn adra i Mam," protestiodd Bob.

"Dio'r ots gen i," meddai'r efaill arall.

"Rho fo i ni, y **** bach," poerodd y llall.

Mae'n rhaid i mi gyfaddef, ddarllenydd, taw rheg yw'r gair ****. Ymysg rhai rhegfeydd eraill mae ****, *******, ac, wrth gwrs, ************, sy'n anhygoel o anweddus. Os nad wyt ti'n ymwybodol o unrhyw regfeydd yna byddai'n well i ti holi rhiant neu athro neu oedolyn cyfrifol arall i wneud rhestr i ti.

Er enghraifft, dyma ambell reg y gwn i amdanyn nhw:

Llaprwth

Ffrwchneddog

Nŵg

Bendiblop

Pisgerog

Affanlu

Montaidd

Twmff

Plopsyn

Blamffan

Dandrog

Nogaidd

Cunddera

Minci

Pignell

Rhempog

Gotbeth

Bwbachyn

Drewnog

Sleb Slob

Twnci

Tortheg

Bachull

Cadwogl

Cachgenddrych

Sbrychi

Rheffyn

Chwdri

Rheiddlynog

Swanclog

Llamfforch

Plwmsyn

Llamsachus

Chwyrlibombom

Sgrwn

Tinian

Sgwdn

Siabasog

Ticyn

Cwdynaidd

Tiglis

Siafflach

Cwgnog

Sinobl

Fflam-fflomio

Bola Bropio

Sloryn

Rhenc

Cwffog

Fflymp

Rhechyll

Mae'r holl eiriau yna mor anhygoel o anweddus fel na fyddwn i'n breuddwydio eu cynnwys mewn llyfr.

"Gadewch lonydd iddo fo!" meddai Twm. Ond difarai dynnu sylw ato'i hun yn syth wrth i'r Sgramiaid gamu'n nes.

"Neu beth?" meddai naill ai Dei neu Siw, a'u hanadl yn drewi o'r creision caws a winwns roedden nhw newydd eu dwyn oddi ar ferch fach ym Mlwyddyn 5.

"Neu ..." ceisiodd Twm feddwl am fygythiad a fyddai'n llorio'r bwlis unwaith ac am byth. "Neu fe fydda i wedi fy siomi'n fawr ynoch chi."

Na, nid dyna'r un.

Chwarddodd y Sgramiaid, cyn cipio'r hyn oedd yn weddill o far siocled Bob o'i law a chydio yn ei

fraich. Codwyd Bob fry i'r awyr ac, wrth iddo weiddi am help, fe'i gollyngwyd yn ddiseremoni i'r bin sbwriel. Cyn i Twm fedru yngan gair arall, stompiodd y Sgramiaid i lawr y stryd dan chwerthin, eu cegau'n llawn o siocled wedi'i ddwyn.

Cydiodd Twm mewn hen focs pren a sefyll arno er mwyn bod fymryn yn dalach. Pwysodd i mewn i'r bin a chydio yn Bob o dan ei geseiliau. Â hyrddiad anferthol, ceisiodd dynnu ei ffrind trwm o'r bin.

"Wyt ti'n iawn?" gofynnodd wrth straffaglu â phwysau Bob.

"O, ydw. Maen nhw'n gwneud hyn i fi bob dydd, fwy neu lai," atebodd Bob. Tynnodd lond llaw o sbageti a chaws parmesan o'i wallt cyrliog. Mae'n bosib iawn fod peth ohono wedi bod yno ers y tro diwethaf i'r Sgramiaid ei daflu i mewn i fin.

"Wel, pam na ddywedi di wrth dy fam?"

"Dwi ddim isio iddi boeni amdana i. Mae ganddi ddigon i boeni yn ei gylch yn barod," atebodd Bob.

"Falle y dylet ti ddweud wrth athro, 'te."

"Mae'r Sgramiaid wedi bygwth rhoi cweir go iawn i fi os bydda i'n dweud wrth unrhyw un. Maen nhw'n gwybod lle dwi'n byw, a hyd yn oed pe baen nhw'n cael eu diarddel o'r ysgol fe allen nhw ddod o hyd i fi," meddai Bob. Edrychai fel petai ar fin crio. Roedd yn gas gan Twm weld ei ffrind newydd yn drist. "Un diwrnod, fe dala i'r pwyth yn ôl iddyn nhw. Fe wna i. Roedd Dad wastad yn dweud taw'r ffordd orau o drechu bwlis yw eu herio nhw. Ac un diwrnod, fe wna i."

Edrychodd Twm ar ei ffrind newydd yn sefyll yno yn ei ddillad isaf wedi'i orchuddio â sbarion bwyd Eidalaidd. Dychmygodd Bob yn herio'r Sgramiaid. Byddai'r bachgen tew yn siŵr o gael ei ladd.

Ond efallai bod ffordd arall, meddyliodd. *Efallai y galla i drefnu i'r Sgramiaid adael llonydd iddo unwaith ac am byth.*

Gwenodd. Teimlai'n wael am iddo dalu Bob i ddod yn olaf yn y ras. Gallai wneud yn iawn am hynny rŵan. Pe byddai ei gynllun yn gweithio, byddai Bob ac yntau'n fwy na ffrindiau. Bydden nhw'n *ffrindiau gorau.*

7

Gerbilod ar Dost

"Dwi wedi prynu rhywbeth i ti," meddai Twm. Roedd Bob ac yntau'n eistedd ar fainc ar yr iard, yn gwylio'r plant heini yn chwarae pêl-droed.

"Does dim angen i ti brynu unrhyw beth i fi dim ond achos dy fod ti'n filiwnydd," meddai Bob.

"Wn i, ond ..." Tynnodd Twm far mawr o siocled o'i fag. Goleuodd llygaid Bob.

"Gallwn ni ei rannu," meddai Twm, cyn torri darn pitw o siocled a thorri'r darn hwnnw yn ei hanner.

Daeth cysgod o siom dros wyneb Bob.

"Dim ond tynnu coes ydw i!" meddai Twm.

"Dyma ti." Rhoddodd y bar i Bob er mwyn iddo gael helpu'i hun.

"O, na," ebychodd Bob.

"Beth?" gofynnodd Twm.

Pwyntiodd Bob. Cerddai'r Sgramiaid yn araf ar draws yr iard tuag atyn nhw, gan dorri ar draws y gemau pêl-droed. Ond feiddiai neb gwyno.

"Tyrd, ffwrdd â ni," meddai Bob yn dawel.

"I ble?"

"I'r ffreutur. Fydden nhw ddim yn meiddio mynd i fan'no. Does neb yn meiddio."

"Pam?"

"Gei di weld."

Roedd y ffreutur yn hollol wag pan ruthrodd y ddau ffrind trwy'r drysau, heblaw am un ddynes ginio ar ei phen ei hun.

Ffrwydrodd y Sgramiaid trwy'r drysau ychydig eiliadau'n ddiweddarach. Roedd hi'n aneglur o hyd pa un oedd y ferch a pha un oedd y bachgen.

"Os nad ydych chi'n bwyta, allan â chi!" boeddiodd Mrs Slwtsh.

"Ond Mrs Slwtsh!" cwynodd naill ai Dei neu Siw.

"'ALLAN' DDYWEDAIS I!"

Ciliodd y Sgramiaid yn anfodlon wrth i Twm a Bob gerdded yn betrus tuag at y cownter bwyd.

Dynes fawr, tua'r un oed a siâp â'r rhan fwyaf o fenywod cinio, oedd Mrs Slwtsh, ac roedd hi'n wên o glust i glust bob amser. Fe esboniodd Bob wrth Twm ar y ffordd draw i'r ffreutur ei bod hi'n ddigon clên, ond bod ei bwyd hi'n wirioneddol afiach. Byddai'n well gan blant yr ysgol farw na bwyta unrhyw un o'i phrydau hi. A dweud y gwir, bydden nhw'n *sicr* o farw pe baen nhw'n bwyta unrhyw un o'i phrydau hi.

"Pwy yw hwnna, 'te?" holodd Mrs Slwtsh, gan syllu ar Twm.

"Dyma fy ffrind i, Twm," atebodd Bob.

Er gwaetha'r drewdod annioddefol yn y ffreutur,

teimlai Twm ryw gynhesrwydd yn ei gofleidio. Doedd neb erioed wedi'i alw'n ffrind o'r blaen!

"Rŵan 'te, beth hoffech chi heddiw, fechgyn?" gofynnodd Mrs Slwtsh dan wenu. "Mae gen i basteiod mochyn daear a nionod blasus dros ben. Neu rwber wedi'i ffrio. Neu ar gyfer y llysieuwyr, beth am datws trwy'u crwyn a saws caws a sanau?"

"Mmm, mae'r cyfan yn edrych mor flasus," meddai Bob yn gelwyddog, wrth i'r Sgramiaid syllu arnyn nhw trwy'r ffenestri budron.

Roedd coginio Mrs Slwtsh yn wirioneddol annisgrifiadwy. Dyma enghraifft o fwydlen wythnos arferol yn ffreutur yr ysgol:

Dydd Llun

Cawl y dydd – Cawl cacwn

Gerbilod ar dost

Neu

Lasagne gwallt (dewis llysieuol)

Neu

Golwyth bricsen

Y cyfan wedi'i weini â chardfwrdd wedi'i ffrio

I bwdin – Sleisen o gacen chwys

Dydd Mawrth

Cawl y dydd – Sudd siani flewog

Macaroni baw trwyn (dewis llysieuol)

Neu

Pastai coluddion anifeiliaid

Neu

Frittata hen sliper

Y cyfan wedi'i weini â salad gwe pry cop

I bwdin – Hufen iâ ewinedd traed

Dydd Mercher

Cawl y dydd – Draenog hufenog

Cejerî parot (gwyliwch rhag yr hadau)

Neu

Risotto dandryff

Neu

Brechdan fara (tafell o fara rhwng dwy dafell o fara)

Neu

Cath fach wedi'i golosgi o dan y gril

Neu

Bolognese pridd

Y cyfan wedi'i weini â naill ai pren wedi'i ferwi neu
lenwadau haearn wedi'u ffrio

I bwdin – Tarten baw gwiwer gyda hufen neu
hufen iâ

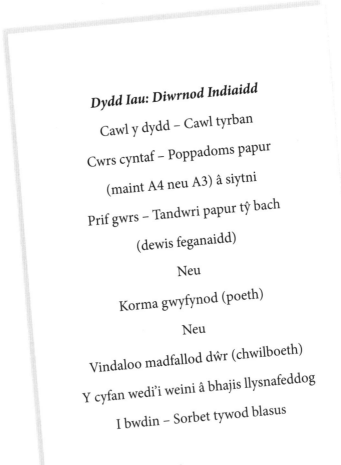

Dydd Iau: Diwrnod Indiaidd

Cawl y dydd – Cawl tyrban

Cwrs cyntaf – Poppadoms papur

(maint A4 neu A3) â siytni

Prif gwrs – Tandwri papur tŷ bach

(dewis feganaidd)

Neu

Korma gwyfynod (poeth)

Neu

Vindaloo madfallod dŵr (chwilboeth)

Y cyfan wedi'i weini â bhajis llysnafeddog

I bwdin – Sorbet tywod blasus

Dydd Gwener

Cawl y dydd – Cawl terapin

Stecen dyfrgi wedi'i ffrio

Neu

Tarten tylluanod (gwyliwch rhag y plu)

Neu

Pwdl wedi'i ferwi

Y cyfan wedi'i weini â slaben o grefi oer

I bwdin – Mŵs llygod

"Mae hi mor anodd dewis ..." meddai Bob gan edrych yn daer o un pryd i'r llall yn y gobaith o weld rhywbeth bwytadwy.

"Yym, fe gymera i ddwy daten trwy'u crwyn, os gwelwch yn dda."

"Oes 'na unrhyw siawns y gallwn i eu cael nhw heb y saws caws a sanau?" ymbiliodd Twm.

Edrychodd Bob yn obeithiol ar Mrs Slwtsh.

"Gallwn i ychwanegu ychydig o naddion baw clust os oes yn well gen ti? Neu lond llaw o ddandryff?" cynigiodd Mrs Slwtsh dan wenu.

"Yym, dwi'n meddwl y cymera i daten hollol blaen, diolch," atebodd Twm.

"Hoffech chi ychydig o lwydni wedi'i ferwi i fynd gyda hi, falle?" Wedi'r cyfan, ry'ch chi fechgyn ar eich pryfiant ..." cynigiodd Mrs Slwtsh, gan ddal llwyaid o sylwedd gwyrdd, annisgrifiadwy.

"Dwi ar ddeiet, Mrs Slwtsh," meddai Twm.

"A finna," meddai Bob.

"Dyna drueni, fechgyn," meddai'r ddynes ginio wedi'i siomi. "Mae 'na bwdin bendigedig ar y fwydlen heddiw. Llysywen a chwstard."

"Dyna fy ffefryn, fel mae'n digwydd!" meddai Twm. "Hitiwch befo!"

Aeth â'i hambwrdd at un o'r byrddau gwag ac eistedd i lawr. Wrth iddo blannu'i gyllell a'i fforc yn y daten sylweddolodd fod Mrs Slwtsh wedi anghofio'i choginio.

"Sut mae'ch tatws chi, fechgyn?" galwodd Mrs Slwtsh ar draws y ffreutur.

"Bendigedig, diolch, Mrs Slwtsh," galwodd Twm yn ôl, wrth wthio'i daten amrwd o gwmpas y plât. Roedd hi'n dal wedi'i gorchuddio â phridd a sylwodd ar gynrhonyn yn tyrchu drwy'r croen. "Dwi'n casáu tatws wedi'u gorgoginio. Mae hon yn berffaith!"

"Da iawn, da iawn!" atebodd hithau.

Roedd Bob yn ceisio'i orau i gnoi ei daten yntau

ond roedd hi mor ofnadwy o anfwytadwy fel y dechreuodd lefain.

"Oes rhywbeth o'i le, fachgen?" galwodd Mrs Slwtsh.

"O, na, dim o gwbwl, mae hi mor flasus fel fy mod i'n crio dagrau o lawenydd!" atebodd Bob.

DDDDDDDDDRRRRRRRRRRRIIIIIIIIIIIII NNNNNNNNNNGGGGGGGGGGG GGG!

Eto, nid cloch dy ddrws ffrynt di oedd honna, ddarllenydd. Dyna'r gloch i ddynodi fod amser cinio ar ben.

Gollyngodd Twm ochenaid o ryddhad.

"O, dyna drueni, Mrs Slwtsh," meddai Twm. "Rhaid i ni fynd i'n gwers Fathemateg rŵan."

Herciodd Mrs Slwtsh draw atyn nhw er mwyn archwilio'u platiau.

"Dydych chi prin wedi cyffwrdd yn y tatws!" meddai.

"Sorri, dwi braidd yn llawn. Ond ro'n nhw'n flasus dros ben."

"Mmmm," eiliodd Bob, dan grio o hyd.

"Wel, hitiwch befo. Fe gadwa i nhw yn yr oergell er mwyn i chi eu gorffen nhw fory."

Edrychodd Twm a Bob ar ei gilydd. Roedd y ddau bron â chyfogi.

"Wir, does dim angen i chi fynd i unrhyw drafferth," meddai Twm.

"Dim trafferth o gwbwl. Wela i chi bryd hynny. A bydd gen i ambell beth arbennig iawn ar y fwydlen fory. Gan ei bod hi'n ben-blwydd bomio Pearl Harbour, ry'n ni am gael diwrnod Siapaneaidd. Dwi am wneud fy swshi blew ceseiliau, a thempwra penbyliaid i ddilyn ... Fechgyn ...? Fechgyn ...?"

"Dwi'n meddwl fod y Sgramiaid wedi mynd," meddai Bob wrth iddyn nhw sleifio allan o'r ffreutur. "Dwi jyst angen mynd i'r tŷ bach."

"Fe arhosa i amdanat ti," meddai Twm. Pwysodd

yn erbyn y wal wrth i Bob ddiflannu trwy'r drws. Fel arfer byddai Twm wedi dweud fod y tai bach yn drewi, a byddai'n gas ganddo fod wedi gorfod eu defnyddio, yn enwedig o ystyried preifatrwydd ei ystafell molchi *en-en-suite* a'i fath anferthol o fawr.

Ond y gwir amdani oedd nad oedd y tai bach yn arogli hanner cynddrwg â'r ffreutur.

Yn sydyn, synhwyrodd Twm ddau ffigwr yn hofran y tu ôl iddo. Doedd dim angen iddo droi i weld pwy oedden nhw. Gwyddai taw'r Sgramiaid oedd yno.

"Ble mae o?" gofynnodd un.

"Yn nhŷ bach y bechgyn, ond fedrwch chi ddim mynd i mewn yno," meddai Twm. "Wel, dim y ddau ohonoch chi, p'run bynnag."

"Ble mae'r baryn siocled 'na?" gofynnodd y llall.

"Mae o gan Bob," atebodd Twm.

"Wel, fe arhoswn ni amdano fo, 'te," meddai un o'r Sgramiaid.

Trodd y Sgram arall at Twm â golwg fygythiol yn ei lygaid. "Rŵan, rho bunt i ni. Oni bai dy fod ti isio i fi roi tro yn dy fraich di, hynny yw."

Llyncodd Twm boer. "Fel mae'n digwydd ... dwi'n falch 'mod i wedi taro ar eich traws chi, fechgyn, wel, ferch a bachgen, yn amlwg."

"Yn amlwg," meddai Dei neu Siw. "Rŵan, rho bunt i ni."

"Arhoswch," meddai Twm. "Ro'n i ond yn meddwl ... tybed a—"

"Cydia yn ei fraich o, Siw," meddai un o'r Sgramiaid, gan ddatgelu am y tro cyntaf, o bosib, pa un o'r efeilliad oedd y gwryw a pha un oedd y fenyw. Ond yna cydiodd y Sgramiaid yn Twm a'i chwyrlïo o gwmpas, a chafodd ei ddrysu'n lân unwaith eto.

"Na! Arhoswch," meddai Twm. "Y gwir amdani yw 'mod i am wneud cynnig i chi eich dau ..."

8

Y Wrach

DDDDDDDRRRRRRRRIIIIIIIIIINNNNNN NGGGGGGGGG!

"Arwydd i fi yw'r gloch, nid i chi!" meddai Miss Malais yn bigog. Mae athrawon wrth eu bodd yn dweud hynna. Dyna un o'u hoff ymadroddion nhw, fel y gwyddost ti, siŵr o fod. Dyma restr o ddeg hoff ymadrodd athrawon ar hyd a lled Cymru:

 Yn rhif deg ... "Cerdded, dim rhedeg!"

 Heb symud yn rhif naw ... "Wyt ti'n cnoi?"

Yn codi tri safle i rif wyth ... "Dwi'n dal i glywed sŵn siarad."

Un poblogaidd yn rhif saith ... "Does dim angen trafodaeth."

Yn newydd i rif chwech ... "Faint o weithau sy'n rhaid dweud?"

I lawr un safle i rif pump ... "Sillafu!"

Un arall heb symud yn rhif pedwar ... "Wna i ddim dioddef sbwriel!"

Yn newydd i rif tri ... "Wyt ti eisiau pasio'r TGAU?"

Bron â chyrraedd y brig yn rhif dau ... "Fyddet ti'n gweud hynna gartre?"

Ac yn parhau yn rhif un ... "Nid yn unig rwyt ti wedi siomi dy hun ond rwyt ti wedi siomi'r ysgol hefyd."

Miss Malais oedd yn dysgu'r wers Hanes. Roedd Miss Malais yn drewi o fresych wedi pydru. Dyna'r peth gorau amdani. Hi oedd un o athrawon mwyaf brawychus yr ysgol. Pan fyddai'n gwenu edrychai fel crocodeil oedd ar fin dy fwyta di. Hoff beth Miss Malais oedd cosbi plant. Un tro, dyma hi'n gwahardd merch o'r ysgol am iddi ollwng pysen ar lawr y ffreutur. "Gallai'r bysen yna fod wedi achosi damwain gas!" gwaeddodd.

Roedd plant yr ysgol wrth eu bodd yn meddwl am lysenwau i'w hathrawon. Roedd rhai yn hoffus, eraill yn greulon. Llysenw Mr Owen, yr athro Ffrangeg, oedd 'Tomato' gan fod ganddo wyneb mawr crwn a choch. 'Y Crwban' oedd Mr Bowen, y prifathro, gan ei fod yn ymdebygu i un. Roedd o'n hen fel pechod, yn grychlyd tu hwnt ac yn cerdded yn araf, araf, araf. Mr Drewgi oedd Mr Dyfri y dirprwy, gan ei fod yn ogleuo'n ofnadwy, yn enwedig yn yr haf. A'r enw ar Mrs Llywelyn, yr athrawes fioleg, oedd naill ai'r 'Ddynes Farfog' neu 'Llywelyn Fawr Flewog' gan ei bod hi ... wel, does dim angen i mi egluro mwy.

Ond yr enw ar Miss Malais, yn syml, oedd 'Y Wrach'. Dyna'r unig enw oedd yn gweddu iddi'n llwyr ac a drosglwyddwyd o un genhedlaeth o ddisgyblion yr ysgol i'r llall.

Serch hynny, roedd pob disgybl a ddysgwyd ganddi yn pasio'i arholiadau. Roedd gormod o ofn arnyn nhw beidio.

"Mae angen i fi gasglu gwaith cartref neithiwr," cyhoeddodd Miss Malais â thinc dieflig i'w llais a awgrymai ei bod hi'n ysu i weld sawl un a fethodd ei gwblhau.

Estynnodd Twm ei law i'w fag. Trychineb. Doedd ei lyfr gwaith cartref ddim yno. Fe dreuliodd drwy'r nos yn ysgrifennu traethawd hynod ddiflas am ryw dywysog marw, ond wrth ruthro i gyrraedd yr ysgol mae'n rhaid ei fod wedi'i adael ar ei wely.

O, na, meddyliodd. *O na na na na na ...*

Edrychodd Twm draw ar Bob ond y cyfan a fedrai ei ffrind wneud oedd ystumio'n llawn cydymdeimlad.

Camodd Miss Malais yn benuchel o amgylch y dosbarth fel deinosor rheibus yn ceisio penderfynu pa greadur bychan i'w fwyta gyntaf. Er mawr siom iddi codwyd traethodau di-ri i'r awyr gan dwr o ddwylo bach budron. Casglodd y cyfan, cyn dod i stop wrth ddesg Twm Sglods.

"Miss ...?"cychwynnodd.

"Ieeeeeeeeeeeeeeeee, Sssggglllooodddsss?" hisiodd Miss Malais, gan ymestyn ei geiriau er mwyn mwynhau'r foment felys cyn hired â phosib.

"Dwi wedi'i wneud o, ond ..."

"Wel do, siŵr iawn!" crechwenodd y Wrach. Cilchwarddodd pob un o'r disgyblion eraill hefyd, heblaw am Bob. Doedd dim yn fwy pleserus na gweld rhywun arall yn cael pryd go iawn o dafod.

"Fe adawais i o adra."

"Dyletswydd sbwriel!" arthiodd yr athrawes.

"Dwi'n dweud y gwir, Miss. Ac mae fy nhad i adra heddiw, gallwn i—"

"Ddylwn i fod wedi gwybod. Does dim dimai goch gan dy dad, yn amlwg, ac mae o ar y dôl, yn eistedd gartre yn gwylio'r teledu trwy'r dydd – fel y byddi dithau mewn deng mlynedd, heb os. Cywir?"

Fedrai Twm a Bob ddim peidio â chilwenu ar ei gilydd o glywed hyn.

"Ym ..." mwmiodd Twm. "Os ffonia i fo a'i holi i ddod â'r traethawd i'r ysgol, a fyddech chi'n fy nghredu i?"

Gwenodd Miss Malais o glust i glust. Roedd hi'n mynd i fwynhau hyn. "Sglods, mae gen ti bymtheng munud union i osod y traethawd yn fy llaw i. Gobeithio bod dy dad yn gyflym."

"Ond—" cychwynnodd Twm.

"Does dim 'ond' amdani, fachgen. Pymtheng munud."

"Wel diolch yn fawr, Miss," meddai Twm yn goeglyd.

"Croeso," atebodd y Wrach. "Dwi'n hoffi meddwl bod pawb yn cael cyfle teg i unioni'u camgymeriadau yn fy nosbarth i."

Trodd at weddill y dosbarth. "Ffwrdd â chi!" meddai.

Dechreuodd y plant lifo allan i'r coridor. Pwysodd Miss Malais allan ar eu holau a sgrechian,

"Cerdded, dim rhedeg!"

Fedrai Miss Malais ddim peidio â defnyddio ymadrodd arall. Hi oedd brenhines yr ymadroddion. A bellach doedd dim taw arni.

"Does dim angen trafodaeth!" galwodd ar hap ar ôl ei disgyblion. Roedd Miss Malais yn ei helfen. "Wyt ti'n cnoi?" sgrechiodd i lawr y coridor ar arolygydd ysgolion a ddigwyddai gerdded heibio.

"Pymtheng munud, Miss?" meddai Twm.

Astudiodd Miss Malais ei horiawr fach hen ffasiwn. "Pedwar munud ar ddeg, hanner cant ac un o eiliadau, a bod yn fanwl gywir."

Llyncodd Twm boer. A fyddai Dad yn llwyddo i gyrraedd yno mewn pryd?

9

"Bys?"

"Bys?" holodd Bob, gan gynnig hanner Twix i'w ffrind.

"Diolch, mêt," meddai Twm. Roedden nhw'n sefyll mewn cornel dawel o'r iard yn ystyried ffawd ddigalon Twm.

"Beth wyt ti am wneud?"

"Dwn i'm. Dwi wedi tecstio Dad, ond mae'n amhosib iddo gyrraedd yma mewn pymtheng munud. Beth fedra i wneud?"

Chwyrlïodd ambell syniad trwy feddwl Twm.

Gallai ddyfeisio peiriant arbennig er mwyn

teithio'n ôl mewn amser a chofio dod â'i waith cartref bob tro. Gallai hynny fod braidd yn anodd, serch hynny, oherwydd pe bai peiriannau amser *wedi* cael eu dyfeisio mae'n bur debygol y byddai rhywun wedi teithio'n ôl o'r dyfodol er mwyn rhwystro Ronaldo rhag sgorio yn erbyn Cymru yng ngêm gynderfynol Ewro 2016.

Gallai Twm ddychwelyd i'r dosbarth a dweud wrth Miss Malais fod 'y teigr wedi'i fwyta fo'. Dim ond celwydd golau fyddai hynny, mewn gwirionedd, gan eu bod nhw'n berchen ar sw, ac ar deigr o'r enw Eifion ac aligator o'r enw Eiddwen.

Troi'n lleian. Byddai'n rhaid iddo fyw mewn lleiandy a threulio'i ddyddiau'n gweddïo a chanu emynau a gwneud amrywiol bethau crefyddol. Ar yr un llaw byddai'r lleiandy'n cynnig noddfa iddo rhag Miss Malais ac roedd du yn ei siwtio, ond ar y llaw arall gallai fod braidd yn ddiflas.

Mynd i fyw ar blaned arall. Gwener sydd agosaf,

ond gallai Neifion fod yn saffach.

Treulio gweddill ei fywyd o dan ddaear. Sefydlu llwyth o drigolion tanddaearol, a chreu cymdeithas gudd o bobl yr oedd arnyn nhw waith cartref i Miss Malais.

Talu am lawdriniaeth gosmetig a newid ei hunaniaeth, cyn byw gweddill ei fywyd fel hen wraig o'r enw Wini.

Troi'n anymwybodol. Doedd Twm ddim yn hollol siŵr sut y byddai'n llwyddo i wneud hynny.

Rhedeg i'r siop lyfrau leol a phrynu copi o *Sut i Ddysgu Rheolaeth Meddwl mewn Deng Munud* gan Yr Athro Steffan Prys ar Frys, yna hypnoteiddio Miss Malais yn gyflym a'i darbwyllo i gredu ei fod eisoes wedi rhoi ei waith cartref iddi.

Newid ei hun i edrych fel platiaid o sbageti Bolognese.

Llwgrwobrwyo'r nyrs ysgol i ddweud wrth Miss Malais ei fod wedi marw.

Cuddio mewn clawdd am weddill ei fywyd. Gallai oroesi ar ddeiet o fwydod a lindys.

Peintio'i hun yn las a honni ei fod yn Smyrff.

Prin y cafodd Twm gyfle i ystyried yr opsiynau hyn cyn i ddau ffigwr cyfarwydd ymddangos y tu ôl iddyn nhw.

"Bob," meddai un ohonynt mewn llais nad oedd yn ddigon uchel nac isel i ddatgelu pa un ai bachgen neu ferch oedd o / hi.

Trodd y bechgyn i edrych. Gan ei fod wedi cael llond bol ar ymladd, cynigiodd Bob ei hanner o o'r Twix – yr oedd eisoes wedi cychwyn ei fwyta – iddyn nhw'n ddi-ffws.

"Paid â phoeni," sibrydodd wrth Twm. "Dwi wedi cuddio llwyth o Smarties i lawr fy hosan."

"Dy'n ni ddim eisiau'r Twix," meddai Sgram rhif un.

"Na?" meddai Bob. Roedd ei feddwl ar ras. Oedd gan y Sgramiaid syniad am y Smarties, tybed?

"Na, ro'n ni am ddweud bod yn flin iawn gynnon ni am dy fwlio di," meddai Sgram rhif dau.

"Ac fel arwydd o gyfeillgarwch fe hoffem dy wahodd di acw am de," awgrymodd Sgram rhif un.

"Te?" gofynnodd Bob. Fedrai o ddim coelio'i glustiau.

"Ie, a falle y gallwn ni i gyd chwarae gêm o Hipos Llwglyd gyda'n gilydd," aeth Sgram rhif dau yn ei flaen / yn ei blaen.

Edrychodd Bob ar ei ffrind, ond codi ei ysgwyddau yn unig wnaeth Twm.

"Diolch, fechgyn, hynny yw, fachgen a merch, yn amlwg ..."

"Yn amlwg ..." meddai un o'r Sgramiaid.

"... ond dwi braidd yn brysur heno," eglurodd Bob.

"Rywdro eto, falle," meddai un o'r Sgramiaid wrth i'r efeilliaid garlamu i ffwrdd. "Roedd hynna'n rhyfedd," meddai Bob, gan lowcio llond llaw o Smarties oedd yn blasu fel hen hosan erbyn hyn. "Fedra i ddim dychmygu noson pan fyddwn i isio mynd draw i chwarae Hipos Llwglyd efo'r ddau yna, hyd yn oed pe bawn i'n byw nes fy mod i'n gant."

"Ie, dyna ryfedd ..." meddai Twm, gan edrych i ffwrdd yn gyflym.

Y foment honno, atseiniodd bloedd fyddarol ar draws yr iard. Edrychodd Twm i fyny. Roedd hofrenydd yn hofran uwch eu pennau. Yn sydyn iawn daeth yr holl gemau pêl-droed i ben, a sgrialodd y plant o'r ffordd wrth i'r peiriant anferthol baratoi i lanio. Ysgubwyd cannoedd o becynnau bwyd i'r awyr gan bŵer y llafnau. Dawnsiai pacedi o greision, bar o Aero blas mintys, a photyn o iogwrt Llaeth y Llan, hyd yn oed, ar y gwynt chwyrlïol, cyn chwalu'n glep ar lawr wrth i'r injan ddiffodd a'r llafnau arafu i stop.

Neidiodd Mr Sglods o sedd y teithiwr cyn gwibio ar draws yr iard â'r traethawd yn ei law.

O na! meddyliodd Twm.

Daliai Mr Sglods ei wallt gosod brown yn dynn ar ei ben â'i ddwy law, a gwisgai siwt loncian un-darn aur a'r geiriau 'AWYR-DIN' ar y cefn mewn llythrennau disglair. Teimlai Twm fel pe bai ar fin marw o embaras. Ceisiodd guddio y tu ôl i un o'r

plant hŷn. Roedd o'n rhy dew, serch hynny, a sylwodd ei dad arno.

"Twm! Twm! Dyna ti!" gwaeddodd Mr Sglods. Syllodd yr holl blant eraill ar Twm Sglods. Doedden nhw heb dalu rhyw lawer o sylw i'r bachgen newydd byr a boliog cyn hyn. Rŵan roedd hi'n amlwg bod ei dad yn berchen ar hofrenydd – hofrenydd go iawn! 'Rargol!

"Dyma dy draethawd di, 'machgen i. Gobeithio'i fod o'n iawn. Ac fe gofiais nad o'n i wedi rhoi pres cinio i ti. Dyma £500."

Tynnodd Mr Sglods bentwr o bapurau £50 newydd sbon danlli o'i waled croen sebra. Gwthiodd Twm yr arian o'r neilltu wrth i'r plant eraill syllu arno'n llawn eiddigedd.

"Wyt ti am i fi dy gasglu di am 4 pnawn 'ma, 'machgen i?" holodd Mr Sglods.

"Mae'n iawn diolch, Dad, fe ddalia i'r bws," mwmialodd Twm, gan syllu ar ei draed.

"Galli di fy nghasglu i yn dy hofrenydd, mêt," galwodd un o'r bechgyn hŷn.

"A fi!" galwodd un arall.

"A finna!"

"Fi!"

"FI!"

"DEWISA FI!!!"

Cyn hir roedd yr holl blant ar yr iard yn gweiddi ac yn chwifio er mwyn dal sylw'r dyn byr, tew mewn tracwisg aur.

Chwarddodd Mr Sglods. "Falle y gallet ti wahodd rhai o dy ffrindiau draw dros y penwythnos er mwyn iddyn nhw gael reid yn yr hofrenydd!" cyhoeddodd gan wenu fel giât.

Atseiniodd cymeradwyaeth uchel ar draws yr iard.

"Ond Dad ..." Dyna'r peth diwethaf yr oedd ar Twm ei eisiau. Doedd o ddim am i bawb weld pa mor aruthrol o grand oedd eu tŷ nhw a faint o bethau gwallgof roedden nhw'n berchen arnyn nhw.

Yn sydyn edrychodd ar ei oriawr ddigidol blastig. Roedd ganddo lai na 30 eiliad ar ôl.

"Dad, mae'n rhaid i fi fynd," mynnodd Twm. Cipiodd y traethawd o ddwylo'i dad a sgrialu i mewn i brif adeilad yr ysgol cyn gynted ag y gallai ei goesau bach tewion ei gario.

Wrth redeg i fyny'r grisiau, gwibiodd heibio i'r prifathro hen fel pechod, a oedd ar ei ffordd i lawr ar gadair esgyn. Edrychai Mr Bowen yn gant oed, o leia, ond mae'n bur debygol ei fod yn hŷn na hynny, hyd yn oed. Byddai'n fwy addas iddo gael ei arddangos yn Sain Ffagan na bod yng ngofal ysgol, ond doedd dim drwg yn perthyn iddo.

"Cerdded, dim rhedeg!" mwmialodd. Mae hyd yn oed prifathrawon anhygoel o hen wrth eu bodd ag ymadroddion.

Wrth hyrddio'i hun ar hyd y coridor tuag at yr ystafell ddosbarth lle roedd Miss Malais yn aros amdano, sylweddolodd Twm fod hanner yr ysgol yn ei ddilyn. Clywodd rhywun yn galw, "Hei, Twm Tŷ Bach!"

Heb anesmwytho, aeth yn ei flaen a rhuthro'n wyllt i mewn i'r ystafell ddosbarth. Daliai'r Wrach ei horiawr yn ei llaw.

"Mae o gen i, Miss Malais!" cyhoeddodd Twm.

"Rwyt ti bum eiliad yn hwyr!" brathodd hithau.

"Dy'ch chi ddim o ddifri, Miss!" Fedrai Twm ddim coelio bod modd i rywun fod mor annheg. Edrychodd y tu ôl iddo a gweld bod cannoedd o ddisgyblion yn syllu arno trwy'r gwydr. Mor awyddus oedden nhw i gael cip o'r bachgen cyfoethocaf yn yr ysgol, os nad y byd, fel bod eu trwynau wedi'u gwthio yn erbyn y gwydr gan wneud iddyn nhw edrych fel haid o foch bach.

"Dyletswydd sbwriel!" gwaeddodd Miss Malais.

"Ond Miss—"

"Wythnos o ddyletswydd sbwriel!"

"Miss—"

"Mis o ddyletswydd sbwriel!"

Penderfynodd Twm beidio â dweud unrhyw beth y tro hwn ac ymlwybrodd ar draws yr ystafell ddosbarth. Caeodd y drws y tu ôl iddo. Allan ar y coridor roedd cannoedd o barau o lygaid bach yn syllu arno.

"Oi!, Y Biliwnydd Bach!" daeth llais dwfn o'r cefn. Un o'r bechgyn hŷn oedd yno, ond wyddai Twm ddim pa un. Roedd gan holl fechgyn y Chweched fwstashys a cheir Ford Fiesta. Gwelodd yr holl gegau bach yn chwerthin.

"Rho fenthyg miliwn o bunnoedd i fi!" gwaeddodd rhywun. Roedd y chwerthin yn fyddarol erbyn hyn. Cymylodd y sŵn yr awyr.

Mae fy mywyd i drosodd yn swyddogol, meddyliodd Twm.

10

Poer Ci

Wrth i Twm ruthro ar draws yr iard tuag at y ffreutur, heidiodd y plant eraill o'i gwmpas. Cadwodd Twm ei ben i lawr. Roedd yn gas ganddo'r enwogrwydd sydyn hwn. Chwyrlïai'r lleisiau o'i gwmpas.

"Hei, Twm Tin! Fe fydda i'n ffrind gorau i ti!"

"Mae rhywun wedi dwyn fy meic i. Pryna un newydd i fi, mêt."

"Rho fenthyg pum punt i fi."

"Wyt ti'n adnabod Gareth Bale?"

"Mae angen byngalo newydd ar fy nain. Rho gan mil i fi, wnei di?"

"Sawl hofrenydd sydd gen ti?"

"Pam wyt ti'n trafferthu dod i'r ysgol? Rwyt ti'n gyfoethog!"

"Ga i dy lofnod di?"

"Pam na wnei di gynnal parti anferthol yn dy dŷ nos Sadwrn?"

"Ga i gyflenwad oes o bapur tŷ bach?"

"Pam na wnei di brynu'r ysgol a chael gwared ar yr athrawon i gyd?"

"Wnei di brynu bag o Maltesers i fi? O'r gorau, un Malteser? O, ti mor gybyddlyd!"

Dechreuodd Twm redeg. Dechreuodd y dorf redeg hefyd. Arafodd Twm. Arafodd y dorf hefyd. Trodd Twm a cherdded i'r cyfeiriad arall. Trodd y dorf a cherdded i'r cyfeiriad arall hefyd.

Ceisiodd merch fach â gwallt cochlyd gydio yn ei fag, ond trawodd ei llaw i ffwrdd â'i arddwrn.

"Aw! Mae'n siŵr fod fy llaw i wedi'i thorri," llefodd y ferch. "Dwi'n mynd i dy erlyn di am iawndal o ddeng miliwn o bunnoedd!"

"Hitia fi!" meddai llais arall.

"Na, fi! Hitia fi!" meddai un arall.

Roedd gan fachgen tal mewn sbectol syniad gwell. "Cicia fi ar fy nghoes ac fe setlwn ni allan o'r llys am ddwy filiwn. Plis?"

Straffaglodd Twm i gau'r drysau dwbl ar y tswnami o blant ysgol, ond doedd dim pwynt. I mewn â nhw, gan foddi'r ystafell.

"FFURFIWCH   LINELL   DREFNUS!" gwaeddodd y ddynes ginio. Cerddodd Twm tuag at y cownter gweini.

"Rŵan 'te, beth hoffet ti heddiw, Twm bach?" holodd â gwên gynnes. "I gychwyn mae gen i gawl dail poethion pigog dros ben."

"Does gen i ddim rhyw lawer o chwant bwyd heddiw, Mrs Slwtsh. Falle a' i'n syth am y prif gwrs."

"Brest cyw iâr sydd heddiw."

"O, mae hynna'n swnio'n flasus."

"Ydi wir. Wedi'i weini mewn saws poer ci. Neu i lysieuwyr mae gen i blŵ-tac wedi'i ffrio."

Llyncodd Twm. "Mmmm, am ddewis anodd. Dim ond neithiwr y cefais i boer ci, fel mae'n digwydd."

"Dyna drueni. Beth am lond platiaid o'r blŵ-tac, 'te?" meddai'r ddynes ginio, wrth iddi ollwng llwyaid o rywbeth glas, rwberaidd, chwydlyd ar blât Twm.

"Os nad ydych chi'n cael cinio, allan â chi!" bytheiriodd Mrs Slwtsh ar y dyrfa oedd wedi ymgynnull wrth y drysau.

"Mae gan dad Sglods hofrenydd, Mrs Slwtsh," daeth llais o'r cefn.

"Mae o'n mega-gyfoethog!" daeth llais arall.

"Mae o wedi newid!" daeth trydydd llais.

"Rho dro yn fy mraich i, Sglods, ac fe gymera i chwarter miliwn," daeth llais pitw o'r cefn.

"ALLAN, DDYWEDAIS I!" gwaeddodd Mrs Slwtsh. Ciliodd y dyrfa'n anfoddog, gan fodloni'u hunain trwy syllu ar Twm trwy'r ffenestri budron.

Gyda'i gyllell cafodd Twm wared ar y croen oddi ar y lwmpyn glas ar ei blât. Y foment honno byddai'r daten bob amrwd i'w chroesawu'n fawr. Ar ôl rhai eiliadau herciodd Mrs Slwtsh draw at ei fwrdd.

"Pam eu bod nhw'n syllu arnat ti fel'na?" gofynnodd yn garedig wrth ostwng ei chorff trwm yn swp wrth ei ymyl.

"Wel, mae hi'n stori hir, Mrs Slwtsh."

"Galli di ddweud wrtha i, cyw," meddai Mrs Slwtsh. "Dwi'n ddynes ginio ac mae'n siŵr gen i 'mod i wedi clywed y cyfan."

"Reit, wel ..." gorffennodd Twm gnoi'r darn mawr o blŵ-tac yn ei geg cyn rhannu'i boenau â'r ddynes ginio. Hanes ei dad yn sefydlu 'Sychdin', eu plasdy anferthol, yr orangwtan o fwtler (roedd hi'n genfigennus iawn o hynny), a sut y byddai'r cyfan wedi aros yn gyfrinach pe na bai ei dwpsyn o dad wedi glanio'i hofrenydd gwirion ar iard yr ysgol.

Tra siaradai Twm, parhau i syllu arno trwy'r ffenestri a wnâi'r plant eraill, fel petai'n anifail mewn sw.

"Mae'n wirioneddol ddrwg gen i, Twm," meddai Mrs Slwtsh. "Rhaid bod y sefyllfa'n anodd iawn. Druan bach â ti."

"Diolch, Mrs Slwtsh." Roedd Twm wedi'i synnu fod unrhyw un yn cydymdeimlo â rhywun fel fo oedd â phob dim dan haul. "Dydi hi ddim yn hawdd. Dwi ddim yn siŵr pwy i ymddiried ynddo mwyach. Mae holl blant yr ysgol fel pe baen nhw isio rhywbeth gen i erbyn hyn."

"Ydyn, dwi'n siŵr," meddai Mrs Slwtsh gan dynnu brechdan wedi'i lapio mewn plastig o'i bag.

"Ry'ch chi'n dod â phecyn bwyd?" holodd Twm mewn syndod.

"O, ydw. Fedrwn i byth fwyta'r budreddi 'ma. Mae o'n afiach," atebodd Mrs Slwtsh. Estynnodd ei

llaw ar draws y bwrdd a'i rhoi ar law Twm.

"Wel, diolch am wrando, Mrs Slwtsh."

"Mae'n iawn, Twm. Cofia 'mod i yma pryd bynnag y byddi di angen sgwrs. Fe wyddost ti hynny – unrhyw bryd." Gwenodd. Gwenodd Twm hefyd.

"Rŵan 'te," meddai Mrs Slwtsh. "Mae angen deng mil o bunnoedd arna i i brynu clun newydd ..."

11

Gwersylla

"Mae 'na beth ar ôl yn fan'na," meddai Bob.

Plygodd Twm i lawr a chodi darn arall o sbwriel o'r iard a'i roi yn y sach ddu a gafodd gan Miss Malais, chwarae teg iddi. Roedd hi bellach yn bump o'r gloch a doedd dim plant i'w gweld ar yr iard. Ond roedd digonedd o'u sbwriel wedi'i adael ar ôl.

"Ro'n i'n meddwl i ti addo fy helpu i," cwynodd Twm.

"Dwi yn dy helpu di! Mae 'na ddarn arall yn fan'na." Pwyntiodd Bob at bapur losin arall ar lawr, wrth iddo fwyta pecyn o greision. Plygodd Twm i'w godi. Papur Twix oedd o – yr un a ollyngodd ef ei hun ar lawr y diwrnod cynt, fwy na thebyg.

"Wel, dwi'n amau fod pawb yn gwybod pa mor gyfoethog wyt ti erbyn hyn, Twm," meddai Bob. "Mae'n flin gen i am hynny."

"Ydyn, am wn i."

"Mae'n siŵr y bydd holl blant yr ysgol am fod yn ffrind i ti rŵan ..." meddai Bob yn dawel. Wrth i Twm edrych arno, trodd Bob i ffwrdd.

"Falle," gwenodd Twm, "ond mae'n golygu mwy i fi ein bod ni'n ffrindiau cyn i unrhyw un wybod."

Gwenodd Bob. "Grêt," meddai. Yna pwyntiodd at y llawr. "Mae 'na ddarn arall yn fan'na, Twm."

"Diolch, Bob," ochneidiodd Twm, gan blygu i lawr unwaith eto, y tro hwn er mwyn codi'r pecyn creision roedd ei ffrind newydd ei ollwng.

"O, na," meddai Bob.

"Beth sydd o'i le?"

"Y Sgramiaid!"

"Ble?"

"Draw wrth y sied feics. Be maen nhw isio?"

Yn llechu y tu ôl i'r sied feics roedd yr efeilliaid. Dyma nhw'n codi llaw wrth weld Twm a Bob.

"Dwi ddim yn siŵr be sy waetha," aeth Bob yn ei flaen. "Cael fy mwlio gynnon nhw neu gael gwahoddiad i fynd draw am de."

"HELÔ, BOB!" gwaeddodd un o'r Sgramiaid, wrth iddyn nhw ddechrau ffit-ffatio tuag atynt.

"Helô, Sgramiaid," galwodd Bob yn ôl yn flinedig.

Heb iddyn nhw fedru'u hatal, cyrhaeddodd y ddau fwli'r fan lle safai'r bechgyn.

"Ry'n ni wedi bod yn meddwl," aeth y llall yn ei flaen / yn ei blaen. "Ry'n ni'n mynd i wersylla dros y penwythnos. Hoffet ti ddod?"

Edrychodd Bob ar Twm am gymorth. Doedd mynd i wersylla gyda'r ddau yma ddim yn wahoddiad apelgar.

"O, dyna drueni," meddai Bob. "Dwi'n brysur y penwythnos hwn."

"Beth am y penwythnos nesaf?" gofynnodd Sgram rhif un.

"Bydda i'n brysur bryd hynny hefyd, mae arna i ofn."

"Beth am yr un wedyn?" gofynnodd y llall.

"Yn hollol ..." baglodd Bob dros ei eiriau, "... llawn dop o bethau i'w gwneud. Mae'n wir ddrwg gen i. Mae'n swnio fel cymaint o hwyl. Beth bynnag, wela i'r ddau ohonoch chi fory. Byddwn i wrth fy modd yn sgwrsio ond mae'n rhaid i fi helpu Twm efo'r casglu sbwriel. Hwyl!"

"Unrhyw benwythnos y flwyddyn nesaf?" gofynnodd y Sgram cyntaf.

Oedodd Bob. "Yym ... wel ... yym ... mae'r flwyddyn nesa'n brysur iawn i fi. Felly, er y byddwn i wrth fy modd, mae'n wir ddrwg gen i ..."

"Beth am y flwyddyn wedyn?" gofynnodd Sgram rhif dau. "Unrhyw benwythnosau rhydd? Mae ein pabell ni'n hyfryd."

Fedrai Bob ddim ymatal eiliad yn rhagor.
"Edrychwch. Un diwrnod, ry'ch chi'n fy mwlio i, a'r
diwrnod wedyn ry'ch chi'n fy ngwahodd i i dreulio'r
penwythnos efo chi mewn pabell. Be goblyn sy'n
digwydd?"

Edrychodd y Sgramiaid ar Twm am gymorth.
"Twm?" meddai un ohonyn nhw.

"Ro'n ni'n meddwl y byddai hi'n hawdd bod yn
garedig tuag at Blob," meddai'r llall. "Ond mae o jyst yn

gwrthod popeth ry'n ni'n ei gynnig. Beth wyt ti isio i ni wneud, Twm?"

Pesychodd Twm yn galed, ond sylwodd y Sgramiaid ddim.

"Fe wnest ti eu talu nhw i roi'r gorau i 'mwlio i, yn do?" mynnodd Bob.

"Naddo," atebodd Twm heb fawr o argyhoeddiad.

Trodd Bob at y Sgramiaid. "*Ddaru* o?" mynnodd.

"Donaddo ..." meddai'r Sgramiaid. "Hynny yw naddodo."

"Faint ddaru o'ch talu chi?"

Edrychodd y Sgramiaid ar Twm am gymorth. Ond roedd hi'n rhy hwyr. Roedden nhw i gyd wedi'u dal.

"Deg punt yr un," meddai un o'r efeilliaid. "Ac fe welson ni'r hofrenydd, Sglods. Dy'n ni ddim yn dwp. Ry'n ni eisiau mwy o bres."

"Ydyn!" meddai'r llall. "Ac rwyt ti'n mynd i'r bin, Twm, oni bai dy fod ti'n rhoi un bunt ar ddeg yr un i ni. Y peth cynta bore fory."

Stompiodd y Sgramiaid i ffwrdd.

Llenwodd llygaid Bob â dagrau o ddicter. "Rwyt ti'n meddwl taw pres yw'r ateb i bob dim, yn dwyt?"

Roedd Twm wedi drysu'n lân. Fe dalodd o'r Sgramiaid er mwyn *helpu* Bob. Fedrai o ddim yn ei fyw ddeall pam bod ei ffrind mor flin. "Bob, dim ond trio dy helpu di ro'n i, do'n i ddim—"

"Does dim angen cardod arna i, wyddost ti."

"Wn i hynny, ro'n i ond yn ..."

"Beth?"

"Do'n i ddim am eu gweld nhw'n dy roi di yn y bin eto."

"Iawn," meddai Bob. "Felly roeddet ti'n meddwl y byddai hi'n well pe bai'r Sgramiaid yn ymddwyn yn hynod ryfedd a chyfeillgar gan hefru am ryw deithiau gwersylla."

"Wel, nhw eu hunain feddyliodd am y syniad o wersylla, mewn ffordd. Ond, oeddwn."

Ysgydwodd Bob ei ben. "Dwi ddim yn dy gredu di.

Rwyt ti'n hen ... yn hen ... snichyn bach wedi dy ddifetha'n rhacs!"

"Beth?" meddai Twm yn gegrwth. "Ond dim ond dy helpu di roeddwn i! Fyddai wir yn well gen ti gael dy daflu i'r bin a chael dy siocled wedi'i ddwyn?"

"Byddai!" gwaeddodd Bob. "Byddai, yn sicr. Galla i ymladd fy mrwydrau fy hun, diolch!"

"Iawn, os taw dyna sydd orau gen ti," meddai Twm. "Mwynha yn y bin."

"Fe wna i," atebodd Bob cyn bytheirio i ffwrdd mewn tymer.

"Twpsyn!" galwodd Twm, ond throdd Bob ddim yn ôl.

Safodd Twm ar ei ben ei hun, wedi'i amgylchynu gan fôr o sbwriel. Prociodd damaid o bapur losin â'i ffon sbwriel. Fedrai o ddim coelio Bob. Credai iddo ddod o hyd i ffrind, ond y cyfan y daeth o hyd iddo, mewn gwirionedd, oedd horwth hunanol blin ac anniolchgar.

12

Pishyn a Hanner

"... ac, er gwaethaf hynna i gyd, fe orfododd y Wrach fi i gasglu sbwriel!" cwynodd Twm. Eisteddai gyda'i dad yn aros am ei swper ar un ochr i'r bwrdd anferth sgleiniog (y gallai mil o bobl eistedd o'i gwmpas yn gyfforddus). Hongiai siandelïers diemwnt enfawr uwch eu pennau, ac addurnwyd y waliau â darluniau nad oedden nhw'n hynod o hardd ond a brynwyd am filiynau o bunnoedd.

"Be, hyd yn oed ar ôl i fi ddod â dy waith cartref di yn yr hofrenydd?" holodd Mr Sglods yn flin.

"Do! Roedd hynny mor annheg!" atebodd Twm.

"Wnes i ddim dyfeisio papur tŷ bach Sychdin er

mwyn i fy mab gael ei orfodi i gasglu sbwriel!"

"Wn i," meddai Twm. "Mae'r Miss Malais yna'n gymaint o hen fuwch!"

"Dwi am hedfan draw i'r ysgol 'na fory a rhoi pryd o dafod go iawn i dy athrawes di!"

"Plis paid, Dad! Fe godaist ti ddigon o gywilydd arna i wrth ddod yno heddiw!"

"Sorri, 'machgen i," meddai Mr Sglods. Edrychai fel pe bai wedi'i frifo braidd, a theimlodd Twm yn euog. "Dim ond trio helpu roeddwn i."

Ochneidiodd Twm. "Paid â gwneud hynna eto, dyna'i gyd, Dad. Dwi'n casáu'r ffaith fod pawb yn gwybod taw fi yw mab y boi Sychdin."

"Wel, does gen i ddim help am hynny, Twm! Dyna sut y gwnes i'r holl bres 'ma. Dyna pam ein bod ni'n byw yn y tŷ mawr 'ma."

"Ie ... am wn i," meddai Twm. "Ond plis paid â dod i'r ysgol yn dy hofrenydd eto, ocê?"

"O'r gorau," cytunodd Mr Sglods. "Felly ... sut

mae'n mynd efo dy ffrind newydd?"

"Bob? Dydi o ddim wir yn ffrind i fi mwyach," atebodd Twm, braidd yn benisel.

"Pam ddim?" gofynnodd Mr Sglods. "Ro'n i'n meddwl eich bod chi'ch dau'n ffrindiau da."

"Fe dalais i'r bwlis 'ma i adael llonydd iddo fo," esboniodd Twm. "Ro'n nhw'n gwneud ei fywyd o'n hunllef, felly fe roddais i arian iddyn nhw er mwyn gadael llonydd iddo fo."

"Ie, felly?"

"Wel, fe ddaeth o i wybod. Ac yna – clyw hyn – fe aeth o'n flin a 'ngalw i'n snichyn bach wedi'i ddifetha'n rhacs!"

"Pam?"

"Sut gwn i? Byddai'n well ganddo fo gael ei fwlio, yn amlwg, na derbyn fy help i."

Ysgydwodd Mr Sglods ei ben mewn anghrediniaeth. "Mae Bob yn swnio fel tipyn o ffŵl i fi. Y gwir amdani yw, pan fydd gen ti bres fel sydd gynnon ni, rwyt ti'n cwrdd â llwyth o bobl anniolchgar. Yn fy marn i, byddai'n well i ti heb y Bob 'ma. Dwi'n amau nad ydi o'n sylweddoli pa mor bwysig ydi pres. Os ydi o am fod yn ddiflas, gad iddo fo."

"Iawn," cytunodd Twm.

"Fe wnei di ffrind arall yn yr ysgol, 'machgen i," meddai Mr Sglods wrth Twm. "Rwyt ti'n gyfoethog. Mae pobl yn hoffi hynny – y rhai synhwyrol, beth bynnag. Dim fel y twpsyn Bob 'ma."

"Dwi ddim mor siŵr," meddai Twm. "Ddim rŵan, a phawb yn gwybod pwy ydw i."

"Fe gei di ffrind arall, Twm. Coelia fi," gwenodd Mr Sglods.

Daeth bwtler wedi'i wisgo'n drwsiadus i'r ystafell fwyta trwy'r drysau derw panelog, anferth. Pesychodd yn theatraidd er mwyn dal sylw'i feistr. "Miss Rhosyn Aur, foneddigion."

Gwisgodd Mr Sglods ei wallt gosod cochlyd yn

frysiog wrth i Rhosyn Aur, y pishyn a hanner o dudalennau ei hoff gylchgrawn, glip-clopio mewn i'r ystafell mewn pâr o sodlau gwirion o uchel.

"Sorri bo fi'n hwyr, ro'n i ar wely haul y salon am sbel," eglurodd.

Roedd hyn yn berffaith amlwg. Taenwyd lliw haul ffug dros bob modfedd o groen Rhosyn. Roedd hi'n oren. Mor oren ag oren, os nad yn fwy oren. Meddylia am y person mwyaf oren rwyt ti'n ei adnabod, yna lluosa pa mor oren ydyn nhw gyda deg. Fel pe na bai hi'n edrych yn ddigon dychrynllyd yn barod, gwisgai ffrog fini lliw leim a gafaelai mewn bag llaw pinc llachar.

"Beth mae hi'n ei wneud yma?" mynnodd Twm.

"Bydd yn glên!" sibrydodd Dad.

"Lle braf," meddai Rhosyn, gan edrych yn llawn edmygedd ar y paentiadau a'r siandelïers.

"Diolch. Mae gen i ddau ar bymtheg o gartrefi i gyd. Bwtler, dwed wrth y *chef* ein bod ni'n barod am

ein swper. Beth sydd ar y fwydlen heno?"

"*Foie gras*, syr," atebodd y bwtler.

"Beth yw hwnnw?" holodd Mr Sglods.

"Afu gŵydd wedi'i phesgi'n arbennig, syr."

Tynnodd Rhosyn wyneb. "Jyst bag o greision i fi, plis."

"A fi!" meddai Twm.

"A finna!" meddai Mr Sglods.

"Tri phecyn o greision ar eu ffordd, syr," gwenodd y bwtler yn ddirmygus.

"Rwyt ti'n edrych yn hardd iawn heno, fy angel i," meddai Mr Sglods, cyn ceisio plannu clamp o gusan ar wefusau Rhosyn.

"Paid â difetha fy lipstic i!" gwichiodd Rhosyn, a'i wthio ymaith â'i llaw.

Roedd hi'n amlwg fod Mr Sglods wedi'i frifo braidd, ond ceisiodd guddio hynny. "Cymer sedd, cariad. Dwi'n gweld dy fod ti'n defnyddio'r bag llaw drudfawr y prynais i ti."

"Ydw, ond mae'r bag yma ar gael mewn wyth lliw," cwynodd Rhosyn. "Un ar gyfer pob diwrnod o'r wythnos. Ro'n i'n meddwl dy fod ti am brynu'r wyth i fi."

"Fe wna i, fy nhywysoges annwyl ..." ymddiheurodd Mr Sglods.

Syllodd Twm ar ei dad. Fedrai o ddim coelio ei fod wedi mopio'i ben â rhywun mor anaddas.

"Swper yn barod," cyhoeddodd y bwtler.

"Tyrd, fy angyles brydferthach na phrydferth, cymer sedd," meddai Mr Sglods, wrth i'r bwtler estyn cadair iddi.

Daeth tri gweinydd i'r ystafell yn cario hambyrddau arian, a mynd ati i osod y platiau'n ofalus ar y bwrdd. Nodiodd y bwtler a chododd y gweinyddion y gorchuddion arian gan ddatgelu tri phecyn o greision halen a finegr. Dechreuodd y triawd fwyta. I gychwyn, ceisiodd Mr Sglods fwyta'i greision â'i gyllell a fforc er mwyn ymddangos yn grand, ond rhoddodd y gorau iddi'n reit fuan.

"Nawr, does ond un mis ar ddeg tan fy mhen-blwydd i," meddai Rhosyn, "felly dwi wedi llunio rhestr fach o bethau rwyt ti'n mynd i'w prynu i fi ..."

Gan fod ei hewinedd mor hir a ffug cafodd drafferth mawr wrth geisio estyn y darn papur o'i bag llaw pinc. Edrychai fel un o'r peiriannau crafangu rheiny yn y ffair lle nad oes gobaith gen ti o ennill unrhyw beth. O'r diwedd cydiodd yn y papur a'i basio at Mr Sglods. Edrychodd Twm dros ysgwydd ei dad ar yr ysgrifen traed brain.

Rhestr Pen-blwydd Rhosyn Aur

Car Rolls-Royce aur pur

Miliwn o bunnoedd mewn arian parod

500 pâr o sbectols haul gan y cynllunydd Versace

Cartref gwyliau yn Sbaen (mawr)

Llond bwced o ddiemwntau

Uncorn

Bocs o siocledi cnau (mawr)

Llong bleser anferthol o fawr

Tanc mawr o bysgod trofannol

'Cŵn i'w Cadw yn eich Bag Llaw' ar DVD

500 potel o bersawr Chanel

Miliwn o bunnoedd arall mewn arian parod

Mymryn o aur

Tanysgrifiad oes i gylchgrawn *Pobl Brydferth*

Jet bersonol (newydd plis, dim ail-law)

Ci sy'n siarad

Pethau cyffredinol ddrud

100 o ffrogiau gan gynllunwyr byd-enwog

(does dim ots gen i pa rai, ond eu bod nhw'n

ddrud. Gall fy mam werthu'r rhai dwi ddim yn

eu hoffi yn y farchnad)

Peint o laeth semi-sgim

Gwlad Belg

"Wrth gwrs y gwna i brynu'r holl bethau hyn i ti, fy angyles fach o'r nef," glafoeriodd Mr Sglods.

"Diolch, Berwyn" meddai Rhosyn, ei cheg yn llawn o greision.

"Terwyn," cywirodd Dad.

"OMB, sorri, ie! Terwyn! Dyna dwp ydw i!" meddai hi.

"Dwyt ti ddim o ddifri!" gwaeddodd Twm. "Dwyt ti ddim wir yn mynd i brynu'r holl stwff 'na iddi, wyt ti?"

Edrychodd Mr Sglods yn flin ar Twm. "Pam lai, 'machgen i?" meddai, gan geisio rheoli'i dymer.

"Ie, pam lai, y snichyn bach?" meddai Rhosyn. Doedd hi'n *sicr* ddim yn rheoli'i thymer.

Oedodd Twm am eiliad. "Mae'n amlwg taw'r unig reswm rwyt ti'n cadw cwmni i 'nhad yw oherwydd ei bres o."

"Paid ti â siarad fel'na efo dy fam!" gwaeddodd Mr Sglods.

Bu bron i lygaid Twm neidio allan o'i ben. "Dydi hi ddim yn *fam* i fi! Dy gariad gwirion di ydi hi, a dim ond saith mlynedd yn hŷn na fi ydi hi!"

"Rhag dy gywilydd di" meddai Mr Sglods yn gandryll. "Ymddiheura."

Arhosodd Twm yn herfeiddiol o dawel.

"Ymddiheura, ddywedais i!" gwaeddodd Mr Sglods.

"Na!" gwaeddodd Twm.

"Dos i dy ystafelloedd!"

Gwthiodd Twm ei gadair yn ôl, gan wneud cymaint o sŵn â phosib, cyn stompio i fyny'r grisiau wrth i'r staff esgus anwybyddu'r cyfan.

Eisteddodd ar erchwyn ei wely a gwasgu ei freichiau amdano'i hun yn dynn. Bu'n amser hir iawn, iawn ers i rywun roi cwtsh iddo, felly rhoddodd gwtsh iddo'i hun, gan gofleidio'i gorff tew, wylofus yn dynn. Dechreuodd ddymuno nad oedd ei dad erioed wedi dyfeisio 'Sychdin' a'u bod nhw'n dal i fyw yn y fflat cyngor gyda Mam. Ar ôl rhai eiliadau, daeth cnoc ar y drws. Eisteddodd Twm mewn tawelwch herfeiddiol.

"Dad sy 'ma."

"Dos o 'ma!" gwaeddodd Twm.

Agorodd Mr Sglods y drws ac eistedd wrth ymyl ei fab ar y gwely. Bu bron iddo lithro ar lawr. Efallai bod cynfasau sidan yn edrych yn hyfryd, ond dydyn nhw ddim yn ymarferol iawn.

Tinfownsiodd Mr Sglods ychydig yn nes at ei fab. "Dwi ddim yn hoffi gweld fy Sglodyn bach i'n flin. Dwi'n gwybod nad wyt ti'n hoffi Rhosyn, ond mae hi'n fy ngwneud i'n hapus. Wyt ti'n deall hynny?"

"Ddim mewn gwirionedd," meddai Twm.

"A dwi'n gwybod i ti gael diwrnod anodd yn yr ysgol hefyd, rhwng yr athrawes 'na, y Wrach, a'r bachgen anniolchgar 'na, Bob. Mae'n flin gen i. Dwi'n gwybod faint roeddet ti'n dyheu am gael ffrind, a dwi'n gwybod na wnes i helpu pethau. Fe ga i air bach tawel efo'r prifathro. Trio sortio pethau i ti os galla i."

"Diolch, Dad," sniffiodd Twm. "Dwi *yn* dy garu di, Dad."

"A finna hefyd, 'machgen i, a finna hefyd," atebodd Mr Sglods.

13

Y Ferch Newydd

Pan ddychwelodd Twm i'r ysgol ar y bore Llun ar ôl y gwyliau hanner tymor fe sylweddolodd nad fo oedd canolbwynt y sylw mwyach. Roedd merch newydd wedi dechrau yn yr ysgol ac oherwydd ei bod hi moooooooooooooooor brydferth roedd pawb yn siarad amdani. Pan gerddodd Twm i mewn i'w ystafell ddosbarth dyna lle roedd hi, fel clamp o anrheg annisgwyl.

"Felly beth yw'r wers gynta heddiw?" holodd wrth iddyn nhw gerdded ar draws yr iard.

"Mae'n flin gen i?" meddai Twm mewn syndod.

"'Beth yw'r wers gynta heddiw?' ddywedais i,"

ailadroddodd y ferch newydd.

"Wn i, ond ... ond ... wyt ti wir yn siarad â fi?" Fedrai Twm ddim coelio'r peth.

"Ydw, dwi'n siarad â ti," chwarddodd. "Elliw ydw i."

"Wn i." Wyddai Twm ddim a fyddai'r ffaith ei fod yn gwybod ei henw yn creu argraff ar Elliw neu'n gwneud iddo ymddangos fel stelciwr.

"Beth yw dy enw di?" gofynnodd hithau.

Gwenodd Twm. O'r diwedd, dyma rywun yn yr ysgol na wyddai ddim o'i hanes. "Fy enw i yw Twm."

"Twm beth?" holodd Elliw.

Doedd Twm ddim am iddi wybod taw fo oedd y biliwnydd tŷ bach. "Ym ... Twm Sglodion."

"Twm Sglodion?" holodd hi mewn syndod.

"Ie ..." oedodd Twm. Fe'i syfrdanwyd cymaint gan ei phrydferthwch y foment honno fel na fedrai feddwl am enw gwell na 'Sglods'.

"Enw anghyffredin – Sglodion," meddai Elliw.

"Ydi, am wn i. Mae'n cael ei sillafu ag 'n'

ddwbwl. Twm *Sglodionn*. Nid fel y bwyd 'sglodion',
felly, mewn gwirionedd. Byddai hynny'n wirion –
ha ha!"

Ceisiodd Elliw chwerthin hefyd, ond edrychai
braidd yn rhyfedd ar Twm. *O na*, meddyliodd Twm.
*Dim ond ers rhyw funud dwi wedi cwrdd â'r ferch 'ma
ac mae hi'n meddwl 'mod i'n wirion bost yn barod.*
Ceisiodd droi'r sgwrs ar frys. "Mathemateg gyda Mr
Morgan sydd nesaf," meddai.

"O'r gorau."

"Yna Hanes gyda Miss Malais."

"Dwi'n casáu Hanes, mae o mor ddiflas."

"Byddi di'n ei gasáu o hyd yn oed yn fwy gyda
Miss Malais. Mae hi'n athrawes dda, am wn i, ond
ry'n ni'r plant i gyd yn ei chasáu hi. Ry'n ni'n ei galw
hi yn 'Y Wrach'!"

"Mae hynna mor ddoniol!" chwarddodd Elliw.

Teimlai Twm cyn daled â chawr.

Daeth Bob i'r golwg. "Ym ... haia, Twm."

"O, haia Bob," atebodd Twm. Doedd y ddau gyn-ffrind heb weld ei gilydd dros y gwyliau hanner tymor. Treuliodd Twm ei ddyddiau ar ei ben ei hun yn gwibio rownd a rownd ei drac rasio yn y car Fformiwla Un newydd a brynodd ei dad iddo. A threulio'r rhan fwyaf o'r wythnos mewn bin a wnaeth Bob. Ble bynnag yr oedd Bob, llwyddodd y Sgramiaid i ddod o hyd iddo, ei godi gerfydd ei bigyrnau a'i daflu i'r sgip agosaf. Wel, dyna oedd dymuniad Bob, wedi'r cyfan.

Roedd Twm wedi gweld eisiau Bob, ond doedd hyn ddim yn amseru da. Ar hyn o bryd roedd o'n siarad gyda'r ferch harddaf yn yr ysgol, y ferch harddaf yn yr holl ardal, o bosib!

"Dwi'n gwybod nad ydyn ni wedi gweld ein gilydd ers tro. Ond ... wel ... dwi wedi bod yn meddwl am yr hyn ddywedon ni pan oeddet ti'n casglu sbwriel ..." meddai Bob yn betrusgar.

"Ie?"

Er ei fod wedi'i synnu braidd gan ymateb diamynedd Twm, aeth Bob yn ei flaen. "Wel, mae'n ddrwg iawn gen i ein bod ni wedi ffraeo, a hoffwn i pe baen ni'n gallu bod yn ffrindiau eto. Fe allet ti symud dy ddesg yn ôl fel dy fod ti—"

"Oes ots gen ti os siarada i â ti wedyn, Bob?" meddai Twm, gan dorri ar ei draws. "Dwi braidd yn brysur ar hyn o bryd."

"Ond—" cychwynnodd Bob, a golwg wedi'i frifo ar ei wyneb.

Anwybyddodd Twm o. "Wela i di o gwmpas," meddai.

Martsiodd Bob i ffwrdd.

"Pwy oedd hwnna? Ffrind i ti?" holodd Elliw.

"Na na na, dydy o ddim yn ffrind i fi," atebodd Twm. "Bob ydi ei enw fo, ond gan ei fod o mor dew mae pawb yn ei alw'n 'Blob'!"

Chwarddodd Elliw. Teimlai Twm braidd yn sâl, ond roedd o mor falch o fod yn gwneud i'r ferch newydd chwerthin fel y gwthiodd y teimlad yn bell i lawr y tu mewn iddo.

Parhau i syllu ar Twm wnaeth Elliw trwy gydol y wers Fathemateg. Methodd yntau'n lân â chanolbwyntio ar ei algebra. Roedd hi'n bendant yn syllu draw ato yn y wers Hanes hefyd. Wrth i Miss Malais rygnu ymlaen am Wrthryfel Owain Glyndŵr, dechreuodd Twm synfyfyrio am gusanu Elliw. Roedd hi mor anhygoel o brydferth fel bod Twm yn dyheu am gael ei chusanu yn fwy na dim. Serch hynny, gan taw ond deuddeg oed oedd Twm, doedd o erioed wedi cusanu merch o'r blaen a doedd ganddo ddim syniad sut i wneud i hynny ddigwydd.

"Ac enw brenin Lloegr yn 1399 oedd ...? Sglods?"

"Ie, Miss?" syllodd Twm yn llawn ofn ar Miss Malais. Doedd o ddim wedi bod yn gwrando o gwbl.

"Fe ofynnais i gwestiwn i ti, fachgen. Dwyt ti ddim wedi bod yn canolbwyntio, wyt ti? Wyt ti eisiau llwyddo yn dy arholiad?"

"Ydw, Miss. Ro'n i yn gwrando ..." meddai Twm.

"Beth yw'r ateb felly, fachgen?" gorchmynnodd Miss Malais. "Pwy oedd brenin Lloegr yn 1399?"

Doedd gan Twm ddim syniad, ond roedd o'n reit siŵr nad y Brenin Cefin II, na'r Brenin Trefor IV, na'r brenin Wmffre Fawr oedd o, oherwydd nid enwau felly oedd yn tueddu i fod ar frenhinoedd.

"Dwi'n aros am ateb," gwaeddodd Miss Malais. Canodd y gloch. *Diolch byth!* meddyliodd Twm.

"Arwydd i fi yw'r gloch, nid i chi!" cyhoeddodd

Miss Malais. Wrth gwrs ei bod hi'n mynd i ddweud hynny. Dyna holl bwrpas ei bodolaeth. Byddai'r frawddeg honno'n cael ei hysgrifennu ar ei charreg fedd, fwy na thebyg. Eisteddai Elliw y tu ôl i'r fan lle safai Miss Malais, ac yn sydyn fe ddechreuodd chwifio'i breichiau ar Twm er mwyn dal ei sylw. Roedd Twm wedi drysu'n lân am eiliad, ond yna sylweddolodd fod Elliw'n ceisio rhoi cliwiau iddo er mwyn ei helpu i ganfod yr ateb. I gychwyn, rhoddodd ei llaw at ei chlust.

Swnio fel ... deallodd Twm.

Yna, pwyntiodd Elliw at fachgen o'r enw Gari a eisteddai ym mlaen y dosbarth.

Swnio fel 'Gari'? meddyliodd Twm. "Y Brenin Barri ...?" cynigiodd.

Chwarddodd y dosbarth lond eu boliau. Ysgydwodd Elliw ei phen. Ceisiodd Twm eto. "Y Brenin Parri?"

Cafwyd bonllefau o chwerthin unwaith eto.

"Y Brenin Mari?"

Roedd y chwerthin yn uwch y tro hwn.

"Y Brenin ...? A-ha, y Brenin Harri ..."

"Ie, fachgen?" aeth Miss Malais yn ei blaen â'r croesholi. Y tu ôl iddi roedd Elliw'n meimio rhifau gyda'i bysedd.

"Y Brenin Harri'r cyntaf, yr ail, y trydydd, y pedwerydd! Y Brenin Harri'r pedwerydd!" cyhoeddodd Twm.

Meimiodd Elliw gymeradwyaeth fechan.

"Cywir, Sglods," meddai Miss Malais yn amheus, cyn troi i ysgrifennu ar y bwrdd gwyn. "Y Brenin Harri'r pedwerydd."

Wrth gamu allan i heulwen y gwanwyn, trodd Twm at Elliw. "Diolch – fe wnest ti achub fy nghroen i yn fan'na."

"Dim probs. Dwi'n dy hoffi di." Gwenodd.

"Wir ...?"

"Ydw!"

"Wel, felly, tybed a ... a ..." Baglodd Twm dros ei eiriau. "A, wel ..."

"Wel, beth ...?"

"Hoffet ti, wel, fyddi di ddim isio, siŵr o fod, a dweud y gwir byddi di'n bendant ddim isio, hynny yw, pam fyddet ti? Rwyt ti mor dlws a dwi jyst yn lwmpyn tew, ond ..." Troellai'r geiriau o'i geg i bob cyfeiriad, a cochodd Twm at ei glustiau.

Gwnaeth Elliw y siarad i gyd am ychydig. "A hoffwn i fynd am dro yn y parc efo ti ar ôl ysgol a falle prynu hufen iâ? Wrth gwrs, byddwn i wrth fy modd."

"*Wir?*" Fedrai Twm ddim coelio'r peth.

"Wir."

"Efo fi?"

"Ie, efo ti, Twm Sglodionn."

Teimlai Twm gangwaith yn hapusach nag y teimlodd erioed o'r blaen. Doedd o'n hidio dim fod Elliw'n meddwl taw Sglodionn oedd ei gyfenw, hyd yn oed.

14

Cusan Fach

"Hei!"

Bu popeth mor berffaith tan y foment honno. Bu Twm ac Elliw'n eistedd ar fainc yn y parc yn bwyta'u hufen iâ o siop Huw. Gallai Huw weld fod Twm yn ceisio creu argraff ar Elliw, ac aeth dros ben llestri wrth wneud ffys ohono o'i blaen, gan roi gostyngiad o geiniog oddi ar eu hufen iâ, a chynnig i Elliw bori trwy gylchgrawn *Golwg* heb orfod talu.

O'r diwedd, roedden nhw wedi llwyddo i ddianc o'r siop bapurau ac wedi dod o hyd i gornel fach dawel yn y parc. Yno buon nhw'n sgwrsio a sgwrsio wrth i'r slwtsh gwyn toddedig lifo i lawr eu bysedd. Fe siaradon nhw am bob dim dan haul heblaw am deulu Twm. Doedd Twm ddim am ddweud celwydd wrth Elliw. Roedd o eisoes yn ei hoffi hi gormod i wneud hynny. Felly pan holodd hi beth oedd ei rieni'n gwneud, y cyfan a ddywedodd oedd bod ei dad yn gweithio ym maes 'rheoli gwastraff dynol', a doedd hi'n fawr o syndod na holodd Elliw ymhellach. Doedd Twm wir ddim eisiau i Elliw ddod i wybod pa mor chwerthinllyd o gyfoethog roedd o. Wrth weld Rhosyn yn defnyddio'i dad mewn modd mor gywilyddus, gwyddai ond yn rhy dda sut y gallai arian ddifetha pob dim.

Bu'r Sgramiaid yn loetran wrth y siglenni ers tro, yn aros i rywun ddweud y drefn wrthyn nhw. Yn anffodus iddyn nhw, roedd yr heddlu, warden y parc a'r ficer lleol i gyd yn brysur. Felly pan welon nhw Twm, dyma'r efeilliaid yn bownsio draw ato'n wên o glust i glust yn y gobaith, heb os, o leddfu ar eu diflastod eu hunain trwy arteithio rhywun arall am ychydig.

"Hei! Rho fwy o bres i ni neu fe daflwn ni ti i mewn i'r bin!"

"Efo pwy maen nhw'n siarad?" sibrydodd Elliw.

"Fi," atebodd Twm yn betrusgar.

"Pres," meddai un o'r Sgramiaid. "Rŵan!"

Estynnodd Twm i'w boced. Efallai, pe bai'n rhoi papur £20 yr un iddyn nhw, y bydden nhw'n gadael llonydd iddo, am heddiw o leia.

"Beth wyt ti'n 'neud, Twm?" gofynnodd Elliw.

"Ro'n i jyst yn meddwl ..." cychwynnodd Twm.

"Pa fusnes yw hyn i ti, y jaden?" meddai Sgram Un.

Edrychodd Twm i lawr ar y borfa. Rhoddodd Elliw'r hyn oedd yn weddill o'i hufen iâ iddo a chodi o'r fainc. Edrychai'r Sgramiaid yn anesmwyth. Doedden nhw ddim yn disgwyl cael eu herio gan ferch dair ar ddeg oed.

"Eistedda i lawr!" meddai Sgram Dau, wrth iddo ef/ hi roi ei law / ei llaw ar ysgwydd Elliw i'w gorfodi yn ôl ar y fainc. Er hynny, cydiodd Elliw yn ei law / ei llaw, ei throi y tu ôl i'w gefn / ei chefn a'i wthio / ei gwthio i'r llawr. Rhuthrodd y Sgram arall tuag ati ond llwyddodd Elliw i neidio i'r awyr a rhoi cic karate a achosodd iddo / iddi ddisgyn i'r llawr. Yna,

wrth i'r Sgram arall geisio ei dal, gwnaeth symudiad karate gwahanol ar ei ysgwydd o / ei hysgwydd hi ac fe redodd o / hi i ffwrdd gan sgrechian mewn poen.

(Mae hi'n ofnadwy o anodd ysgrifennu'r darn yma os nad ydych chi'n siŵr os yw rhywun yn fachgen neu'n ferch.)

Penderfynodd Twm ei bod hi'n hen bryd iddo wneud rhywbeth felly cododd ar ei draed ac, a'i goesau'n crynu dan ofn, aeth yn nes at y Sgram oedd yn dal wrth y fainc. Dyna pryd y sylweddolodd Twm fod y ddau hufen iâ toddedig yn dal yn ei ddwylo. Safodd y Sgram yn ei unfan am eiliad, ond yna, pan safodd Elliw y tu ôl i Twm fe redodd o / hi i ffwrdd gan grio fel ci bach.

"Ble ddysgaist ti ymladd fel'na?" gofynnodd Twm yn gegrwth.

"O, dwi jyst wedi mynychu ambell ddosbarth nos fan hyn a fan draw, dyna'i gyd," atebodd Elliw, mewn llais nad oedd yn argyhoeddi rhyw lawer.

Credai Twm iddo ddod o hyd i ferch ei freuddwydion. Nid yn unig y gallai Elliw fod yn gariad iddo ond gallai fod yn warchodwraig bersonol iddo hefyd!

Cerddodd y ddau trwy'r parc. Roedd Twm wedi cerdded y llwybr hwn droeon o'r blaen, ond heddiw edrychai'n fwy prydferth nag erioed. Wrth i olau'r haul ddawnsio trwy ddail y coed ar y prynhawn hwn o Hydref, ymddangosai popeth ym mywyd Twm, am foment, yn berffaith.

"Gwell i fi droi am adra," meddai Elliw wrth iddyn nhw nesáu at y giât.

Ceisiodd Twm guddio'i siom. Gallai fod wedi crwydro o gwmpas y parc yng nghwmni Elliw am byth.

"Ga i brynu cinio i ti fory?" gofynnodd.

Gwenodd Elliw. "Does dim angen i ti brynu unrhyw beth i fi. Byddwn i wrth fy modd yn cael cinio efo ti, ond fi sy'n talu, iawn?"

"Wel, os wyt ti wir eisiau gwneud," meddai Twm.
Ew! Roedd y ferch yma'n anhygoel!

"Sut le yw ffreutur yr ysgol?" holodd Elliw.

Sut fedrai Twm ddisgrifio'r lle? "Yym, wel, mae
o'n ... mae o'n grêt os wyt ti ar ddeiet hynod gaeth."

"Dwi wrth fy modd efo bwyd iach!" meddai
Elliw. Nid dyna'n union oedd gan Twm mewn
golwg, ond hwnnw fyddai'r lle gorau yn yr ysgol i
fynd ar ddêt, gan y byddai'n sicr yn dawel fel y bedd
yno.

"Wela i ti fory, 'te," meddai Twm. Caeodd ei
lygaid a gwneud siâp cusan â'i wefusau. Ac
arhosodd.

"Wela i ti fory, Twm," meddai Elliw, cyn sgipio i
lawr y llwybr. Agorodd Twm ei lygaid a gwenu.
Fedrai o ddim coelio'r peth. Bu ond y dim iddo
gusanu merch!

15

Ambell Newid Bach

Roedd rhywbeth rhyfedd iawn ynglŷn â Mrs Slwtsh heddiw. Edrychai yr un fath ond eto'n wahanol. Wrth i Twm ac Elliw nesáu at y cownter gweini, sylweddolodd Twm beth oedd yn wahanol.

Roedd y croen llac ar ei hwyneb wedi'i godi.

Roedd ei thrwyn yn llai.

Roedd ei dannedd yn wynnach.

Roedd y llinellau ar ei thalcen wedi'u dileu.

Roedd y bagiau duon o dan ei llygaid wedi diflannu.

Doedd dim rhychau ar ei hwyneb.

Roedd ei bronnau llawer iawn yn fwy.

Ond roedd hi'n parhau i hercian.

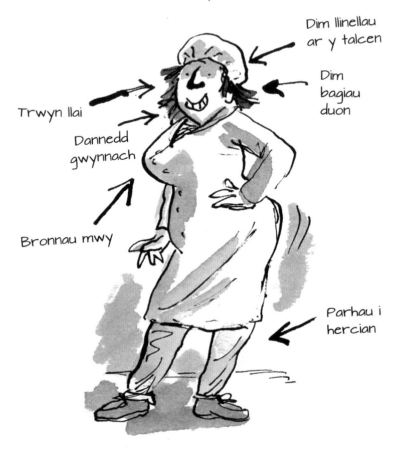

Dim llinellau ar y talcen

Dim bagiau duon

Trwyn llai

Dannedd gwynnach

Bronnau mwy

Parhau i hercian

"Mrs Slwtsh, ry'ch chi'n edrych yn hynod ... wahanol ..." meddai Twm, gan syllu arni.

"Ydw i?" atebodd yr hen ddynes ginio gan geisio swnio'n ddiniwed. "Rŵan 'ta, beth hoffech chi'ch dau fach heddiw? Ystlum wedi'i rostio a'r trimins i gyd? Soufflé sebon? Pitsa caws a phlastig?"

"Am ddewis anodd ..." petrusodd Elliw.

"Rwyt ti'n newydd wyt ti, cariad?" holodd Mrs Slwtsh.

"Ydw, fe ddechreuais i yn yr ysgol ddoe," atebodd Elliw, gan archwilio'r prydau bwyd a cheisio penderfynu pa un oedd y lleiaf afiach.

"Ddoe? Dyna ryfedd. Dwi'n siŵr 'mod i wedi dy weld di yn rhywle o'r blaen," meddai'r ddynes ginio, gan astudio wyneb perffaith Elliw. "Rwyt ti'n edrych yn gyfarwydd dros ben."

Torrodd Twm ar ei thraws. "A gawsoch chi'r llawdriniaeth ar eich clun eto, Mrs Slwtsh?" Roedd o'n hynod amheus. "Yr un y rhoddais i'r pres i chi ar ei gyfer rai wythnosau yn ôl," sibrydodd, fel na fyddai Elliw'n clywed.

Dechreuodd Mrs Slwtsh baldaruo'n nerfus. "Ym, naddo, wel, ddim eto cyw ... pam na chymeri di ddarn mawr o fy nharten dillad isaf hynod flasus?"

"Fe warioch chi'r arian y rhoddais i chi ar driniaeth gosmetig, yn do?" hisiodd Twm.

Llifodd diferyn o chwys i lawr ei hwyneb a glanio yn y cawl baw trwyn mochyn daear.

"Mae'n flin gen i, Twm, ond ro'n i wastad, wel, ro'n i wastad eisiau newid ambell beth bach ..." plediodd y ddynes ginio.

Roedd Twm cymaint o'i go fel y teimlai fod yn rhaid iddo adael yn syth. "Elliw, ry'n ni'n mynd," mynnodd, a dilynodd hithau wrth iddo daranu allan o'r ffreutur. Herciodd Mrs Slwtsh ar eu holau.

"Petai modd i ti fenthyg rhyw £5000 arall i fi, Twm, dwi'n addo cael y llawdriniaeth y tro hwn!" galwodd ar ei ôl.

Pan ddaliodd Elliw fyny â Twm o'r diwedd, eisteddai ar ei ben ei hun ym mhen pella'r iard. Rhoddodd ei llaw yn ysgafn ar ei ben i'w gysuro.

"Beth oedd hynna am roi benthyg £5000 iddi?" gofynnodd.

Edrychodd Twm ar Elliw. Fedrai o ddim osgoi dweud wrthi mwyach. "Terwyn Sglods yw fy nhad i," meddai'n drist. "'Biliwnydd Sychdin'. Nid Sglodionn yw fy enw i. Fe ddywedais i hynny fel na fyddet ti'n gwybod pwy ydw i. Y gwir amdani yw ein bod ni'n wirion o gyfoethog. Ond pan ddaw pobl i wybod ... mae'n tueddu i ddifetha pob dim."

"Wyddost ti be? Fe ddywedodd rhai o'r plant eraill wrtha i bore 'ma," meddai Elliw.

Ciliodd tristwch Twm am eiliad. Atgoffodd ei hun fod Elliw wedi mynd am hufen iâ gydag o ddoe pan oedd hi'n meddwl taw dim ond Twm oedd o. Efallai na fyddai ei gyfoeth yn difetha pethau y tro hwn. "Pam na ddywedaist ti?" gofynnodd.

"Achos does dim ots. Dwi ddim yn poeni am hynna i gyd. Dwi'n dy hoffi di," meddai.

Teimlai Twm mor hapus fel y gallai grio. Mae'n

rhyfedd sut y gallwch deimlo cyn hapused weithiau fel ei fod yn troi ben i waered i fod yn dristwch. "Dwi wir yn dy hoffi di hefyd." Symudodd yn agosach at Elliw. Dyma'r foment i roi cusan iddi! Caeodd ei lygaid a gwasgu'i wefusau at ei gilydd.

"Nid fan hyn ar yr iard, Twm," gwthiodd Elliw o i ffwrdd dan chwerthin.

Teimlodd Twm gywilydd ei fod o wedi trio, hyd yn oed. "Mae'n flin gen i." Newidiodd y pwnc yn syth. "Ro'n i ond yn trio gwneud rhywbeth caredig dros yr hen hulpan 'na, a'r cyfan wnaeth hi oedd prynu bronnau mwy!"

"Wn i, mae'n anghredadwy."

"Dydi hyn ddim ynglŷn â'r pres, dwi ddim yn poeni am y pres ..."

"Na, y gwir amdani yw iddi gymryd dy garedigrwydd di yn ganiataol," cynigiodd Elliw.

Edrychodd Twm arni a dal ei llygad. "Yn hollol!"

"Tyrd," meddai Elliw. "Dwi'n meddwl fod angen sglodion arnat ti. Sglodion ag un 'n', cofia! Fe bryna i rai i ti."

Roedd y siop sglodion leol dan ei sang o blant o'r ysgol gyfun. Roedd hi yn erbyn y rheolau i adael tir yr ysgol amser cinio, ond roedd bwyd y ffreutur mor ffiaidd fel nad oedd fawr o ddewis. Roedd y Sgramiaid ym mlaen y ciw, ond dyma nhw'n ffoi am eu bywydau pan welson nhw Elliw, gan adael eu selsig mewn cytew yn hisian ar y cownter.

Safodd y ddau y tu allan ar y palmant yn bwyta'u sglodion. Fedrai Twm ddim cofio'r tro diwethaf iddo fwynhau pleser mor syml. Pan oedd yn fachgen bach, bach fwy na thebyg. Cyn i filiynau Sychdin ddod a difetha pob dim. Llowciodd Twm ei sglodion, ond sylwodd nad oedd Elliw prin wedi cyffwrdd yn ei rhai hi. Roedd o'n dal ar lwgu, ond doedd o ddim yn siŵr a oedd eu perthynas wedi datblygu ddigon iddo fedru helpu'i hun i'w bwyd hi. Digwyddai hynny, fel rheol, ar ôl rhai blynyddoedd o briodas, a doedden nhw heb ddyweddïo eto, hyd yn oed.

"Wyt ti wedi gorffen efo dy rai di?" mentrodd.

"Do," atebodd Elliw. "Dwi ddim am fwyta gormod. Dwi'n gweithio yr wythnos nesaf."

"Gweithio? Yn gwneud beth?" gofynnodd Twm.

Yn sydyn edrychodd Elliw yn hynod ffwndrys. "Beth ddywedais i?"

"Ro'n i'n meddwl i ti ddweud dy fod ti'n gweithio."

"Ydw, ydw, dwi *yn* gweithio." Oedodd, cyn cymryd anadl. "Dim ond mewn siop ..."

Chafodd Twm 'mo'i ddarbwyllo. "Felly pam bod angen i ti fod yn denau er mwyn gweithio mewn siop?"

Edrychai Elliw yn anghyffyrddus. "Mae hi'n siop gul iawn," meddai. Edrychodd ar ei horiawr. "Ma' gynnon ni dwbwl Maths mewn deng munud. Gwell i ni fynd."

Gwgodd Twm. Roedd rhywbeth rhyfedd iawn ynglŷn â'r holl beth ...

16

Dai O'Rea

"Mae'r Wrach wedi marw!" llafarganodd bachgen bach a phlorod dros ei wyneb i gyd. "Hwrê, hwrê, mae'r Wrach wedi marw!" Doedd hi ddim hyd yn oed yn adeg cofrestru eto, ond roedd y newyddion eisoes yn lledaenu ar draws yr ysgol fel y ffliw.

"Beth wyt ti'n feddwl?" gofynnodd Twm wrth gymryd ei sedd yn y dosbarth. Gallai weld Bob yn syllu draw ato o ochr arall yr ystafell, â golwg boenus ar ei wyneb. *Cenfigennus, siŵr o fod*, meddyliodd Twm.

"Dwyt ti ddim wedi clywed?" meddai bachgen bach arall a hyd yn oed mwy o blorod dros ei wyneb.

"Mae Miss Malais wedi cael y sac!"

"Pam?" holodd Twm.

"Beth yw'r ots?" meddai bachgen bach ag ychydig yn llai o blorod dros ei wyneb. "Dim mwy o wersi Hanes diflas!"

Gwenodd Twm, cyn gwgu. Fel pawb arall, roedd yn gas ganddo Miss Malais a'i gwersi anniddorol, ond doedd o ddim yn siŵr a oedd hi wedi gwneud unrhyw beth i haeddu colli'i swydd. Er ei bod hi'n annymunol, roedd hi'n athrawes dda.

"Mae Malais wedi cael y sac!" cyhoeddodd Twm wrth Elliw wrth iddi gerdded mewn i'r dosbarth.

"Do, fe glywais i," atebodd Elliw. "Newyddion gwych, yntê?"

"Wel, ydi, am wn i," meddai Twm.

"Ro'n i'n meddwl taw dyna roeddet ti isio? Fe ddywedest ti dy fod ti'n ei chasáu hi."

"Do, ond ..." oedodd Twm am foment. "Dwi jyst yn teimlo braidd yn ... braidd yn flin drosti."

Edrychodd Elliw yn ddiystyriol o eiriau Twm.

Yn y cyfamser, eisteddai criw o ferched bygythiol yr olwg ar ddesgiau yng nghefn y dosbarth. Gwthiwyd y lleiaf o'r criw draw i gyfeiriad Elliw wrth i'r lleill wylio a chilwenu.

"'Sgen ti Bot Nŵdl, 'te?" gofynnodd, wrth i weddill y criw biffian chwerthin.

Edrychodd Elliw draw ar Twm mewn panig. "Wn i ddim am be ti'n sôn," protestiodd.

"Gad dy gelwydd," meddai'r ferch. "Rwyt ti'n edrych fymryn yn wahanol yn dy wisg, ond dwi'n siŵr taw ti yw hi."

"Am ddwli," meddai Elliw, wedi'i chynhyrfu braidd.

Cyn i Twm fedru yngan gair cerddodd dyn ifanc mewn dillad hen ddyn i'r dosbarth a sefyll yn ansicr wrth y bwrdd du. "Ymdawelwch, os gwelwch yn dda," meddai'n dawel. Ni chymerodd unrhyw un yn y dosbarth damaid o sylw, heblaw am Twm.

"'Ymdawelwch, os gwelwch yn dda,' ddywedais i ..."

Prin y gellid clywed yr athro newydd yr ail dro fwy na'r cyntaf. Ni chymerodd y plant unrhyw sylw ohono o hyd. Os rhywbeth, fe ddechreuon nhw wneud mwy o sŵn na chynt.

"Dyna welliant," meddai'r dyn bach, gan geisio gwneud y gorau o'r sefyllfa. "Rŵan, fel y gwyddoch, o bosib, dydi Miss Malais ddim yma heddiw—"

"Hwrê, mae hi wedi cael y sac!" gwaeddodd merch lond ei chroen â llais uchel.

"Wel, dydi hynny ... wel, ydi, mae hynny'n wir ..." aeth yr athro yn ei flaen yn ei lais undonog. "Rŵan, fe fydda i'n cymryd drosodd wrth Miss Malais fel eich athro dosbarth, yn ogystal â dysgu Hanes a Saesneg i chi. Fy enw i yw Mr O'Rea." Dechreuodd ysgrifennu ei enw'n daclus ar y bwrdd gwyn. "Ond gallwch chi fy ngalw i'n Dai."

Yn sydyn, cafwyd tawelwch, wrth i ddeg ar

hugain o ymenyddiau bach dasgu.

"Dai O'Rea!" gwaeddodd cochyn o'r cefn. Lledaenodd ton anferthol o chwerthin ar draws y dosbarth. Ceisiodd Twm ei orau i ddangos chwarae teg tuag at y dyn, druan, ond fedrai o ddim peidio â chwerthin.

"Plis, plis, ga i fymryn o dawelwch, os gwelwch yn dda?" plediodd yr athro ag enw anffodus. Ond doedd dim pwynt. Roedd y dosbarth cyfan yn ferw gwyllt. Roedd yr athro dosbarth newydd wedi cyflawni'r drosedd waethaf posib i unrhyw athro, sef bod yn berchen ar enw gwirion. Mae hyn yn bwynt difrifol. Os oes gen ti enw tebyg i un o'r rhai ar y rhestr isod, mae hi'n bwysig iawn, iawn nad wyt ti'n mynd yn athro:

Siw Doku

Bob N'Ail

Tom Ato

Wil Ber

Mali Awyr

Cai Drws

Glyn Iadur

Rhys Wil

Ben D. Gedig

Ben Dith

Ann Ioddefol

Ann Obeithiol

Anni Bynnol

Casi Neb

Tref Nudd

Al Arch

Al Gebra

Al Mon

Dan Dryff

Jo Can

Meic Roffon

Mei Llion

Mei Stroli

Lleu Ad

Beth Esda

Bryn Iog

Beti N. Galw

Cen Arth

Brad Ychu

Math E. Mateg

Bran Fflêcs

Brych Ni Haul

Barri Tôn

Gwen Iaith

Cef Nogi

Cen V.Gennus

Stiw Ard

Dai Oni

Dan Draed

Daf Aden

Gwil Iadwrus

Dei Nosor

Dei Nameg

Dei Gryn

Ieu Enctid

Dewi Sol

Rhun Iog

Ed Ifar

Seren Aur

Gwyn Tyllu

Pwyll Gor

Marc Cwestiwn

Dylan Wadol

Alaw Werin

O ddifri. Paid ag ystyried y peth, hyd yn oed. Byddai'r plant yn dy ddosbarth yn gwneud dy fywyd yn uffern ar y ddaear.

Rŵan 'te, 'nôl at y stori

"Reit," meddai'r athro ag enw anffodus. "Dwi am

gymryd y gofrestr. Ab Alun?"

"Peidiwch ag anghofio Ceri Grafu!" gwaeddodd bachgen penfelyn tenau. Cododd y chwerthin eto.

"Fe ofynnais i am dawelwch," meddai Mr O'Rea mewn llais pathetig.

"Na Gwen Wyn!" bloeddiodd plentyn arall. Roedd y chwerthin yn fyddarol erbyn hyn.

Gorffwysodd Dai O'Rea ei ben yn ei ddwylo. Bron y teimlai Twm drueni trosto. Byddai bywyd y dyn bach llwyd hwn yn ddiflas dros ben o hyn ymlaen.

O na, meddyliodd Twm. *Ry'n ni i gyd yn mynd i fethu yn ein arholiadau.*

17

Cnoc ar Ddrws y Lle Chwech

Mae yna nifer o bethau dwyt ti ddim am eu clywed wrth eistedd ar y tŷ bach:

Larwm dân.

Daeargryn.

Llew llwglyd yn rhuo o'r ciwbicl drws nesaf.

Criw mawr o bobl yn gweiddi 'Sypréis!" arnat ti.

Sŵn yr holl floc o doiledau'n cael ei ddymchwel gan bêl ddinistriol enfawr.

Sŵn camera'n clicio wrth i rywun dynnu llun.

Sŵn llysywen drydanol yn nofio i fyny peipen y tŷ bach.

Rhywun yn drilio twll yn y wal.

Bryn Fôn yn canu (er, fyddet ti ddim am glywed hynny ar unrhyw adeg, mewn gwirionedd).

Cnoc ar y drws.

Yr olaf ar y rhestr oedd yr union beth a glywodd Twm wrth iddo eistedd ar un o dai bach y bechgyn amser egwyl.

CNOC CNOC CNOC.

I fod yn glir, nid cnoc ar ddrws dy dŷ di yw hwnna, ddarllenydd, ond cnoc ar ddrws tŷ bach Twm.

"Pwy sy 'na?" gofynnodd Twm yn flin.

"Bob," atebodd ... ie, dyna ti, Bob, wrth gwrs.

"Dos o 'ma, dwi'n brysur," meddai Twm.

"Dwi angen siarad efo ti."

Tynnodd Twm y tsiaen ac agor y drws. "Be tisio?" gofynnodd yn flin wrth wneud ei ffordd draw at y sinc. Dilynodd Bob o wrth iddo fwyta pecyn o greision. Dim ond awr oedd ers iddo fod yn bwyta sglodion fel pawb arall, ond yn amlwg âi Bob yn llwglyd yn sydyn.

"Ddylet ti ddim bwyta creision mewn tŷ bach, Bob."

"Pam lai?"

"Achos ... achos ... Dydi hynny ddim yn deg ar y creision." Trodd Twm y tap er mwyn golchi ei ddwylo. "Be tisio?"

Rhoddodd Twm y bag ym mhoced ei drywsus a sefyll y tu ôl i'w gyn-ffrind. Edrychodd i fyw llygaid Twm yn yr adlewyrchiad yn y drych. "Elliw."

"Beth am Elliw?" Gwyddai Twm o'r cychwyn. Roedd Bob yn genfigennus!

Edrychodd Bob i ffwrdd am eiliad cyn cymryd anadl ddofn. "Dwi ddim yn meddwl y dylet ti ymddiried ynddi," dywedodd.

Trodd Twm i'w wynebu. Crynai mewn cynddaredd. "Beth ddywedaist ti?" gwaeddodd.

Camodd Bob yn ôl, wedi'i syfrdanu. "Dwi jyst yn meddwl ei bod hi'n ..."

"EI BOD HI'N BETH?"

"Yn ffug."

"Ffug?" Roedd bochau Twm yn fflamgoch.

"Mae llawer o'r plant eraill yn meddwl taw actores yw hi. Maen nhw'n dweud ei bod hi mewn rhyw hysbyseb, neu rywbeth. Ac fe welais i hi efo'r bachgen arall 'ma dros y penwythnos."

"Beth?"

"Twm, dwi'n meddwl taw esgus dy hoffi di mae hi."

Rhoddodd Twm ei wyneb yn agos at wyneb Bob. Roedd yn gas ganddo fod mor flin â hyn. Roedd colli rheolaeth fel hyn yn codi ofn arno.

"DWED HYNNA ETO ..."

Camodd Bob yn ei ôl. "Yli, mae'n flin gen i, dwi ddim am ddadlau. Dwi ddim ond yn dweud wrthat ti be welais i."

"Celwyddgi!"

"Nac'dw ddim!"

"Cenfigennus wyt ti, am fod Elliw yn fy hoffi i, ac

rwyt ti'n dew a heb ffrindiau."

"Dwi ddim yn genfigennus, dwi jyst yn poeni amdanat ti, Twm. Dwi ddim am i ti gael dy frifo."

"Wir!?" meddai Twm. "Roeddet ti'n swnio fel pe baet ti'n *poeni llawer iawn* amdana i pan alwaist ti fi'n snichyn bach wedi'i ddifetha!"

"Wir Twm, dwi—

"Jyst gad lonydd i fi, Bob. Dydyn ni ddim yn ffrindiau mwyach. Ro'n i'n teimlo'n flin drosot ti ac fe wnes i siarad â ti, a dyna ni."

"Beth ddywedest ti? Roeddet ti'n teimlo'n flin drosta i?" Roedd dagrau wedi cronni yn llygaid Bob.

"Do'n i ddim yn meddwl ..."

"Beth, am fy mod i'n dew? Am fod y plant eraill yn fy mwlio? Am fod fy nhad i wedi marw?" Roedd Bob yn gweiddi erbyn hyn.

"Na ... ro'n i ddim ond ... do'n i ddim yn meddwl ..." Wyddai Twm ddim beth roedd o'n ei feddwl. Estynnodd i'w boced a thynnu pentwr o bapurau

£50 a'u cynnig i Bob. "Yli, mae'n flin gen i, dyma ti.
Pryna rywbeth neis i dy fam."

Trawodd Bob yr arian o law Twm a disgynnodd
y papurau ar y llawr tamp. "Rhag dy gywilydd di!"

"Beth ydw i wedi'i wneud rŵan?" protestiodd

Twm. "Beth sy'n bod arnat ti, Bob? Dwi'n trio dy helpu di."

"Dwi ddim isio dy help di. Dwi ddim isio siarad efo ti byth eto!"

"Iawn!"

"A ti ydi'r unig un y dylai pobl deimlo'n flin drosto. Ti'n pathetig!" Rhedodd Bob allan o'r tai bach.

Ochneidiodd Twm, cyn penlinio a chychwyn casglu'r papurau arian soeglyd.

"Mae hynna'n chwerthinllyd!" chwarddodd Elliw wrth iddi hi a Bob sgwrsio'n ddiweddarach. "Dydw i ddim yn actores. Dwi ddim yn meddwl y byddwn i'n cael rhan yn sioe'r ysgol, hyd yn oed!"

Ceisiodd Twm chwerthin hefyd, ond fedrai o ddim gwneud yn iawn. Eisteddai'r ddau gyda'i gilydd ar fainc ar yr iard, gan grynu fymryn yn yr oerfel. Cafodd Twm drafferth dweud y frawddeg nesaf. Doedd o ddim am wybod yr ateb. Anadlodd yn ddwfn. "Roedd Bob yn dweud iddo dy weld efo rhyw fachgen arall. Ydi hynny'n wir?"

"Beth?" tagodd Elliw.

"Dros y penwythnos. Fe ddywedodd o iddo dy weld di efo rhywun arall." Edrychodd Twm yn syth arni, gan geisio darllen ei hwyneb. Am foment ymddangosai Elliw fel petai'n ceisio cilio i gefn ei llygaid.

"Celwyddgi ydi o," meddai ar ôl ychydig eiliadau.

"Ro'n i'n amau," meddai Twm ag ochenaid o ryddhad.

"Celwyddgi mawr tew," aeth Elliw yn ei blaen. "Fedra i ddim coelio i ti erioed fod yn ffrindiau efo fo."

"Wel, dwi ddim mwyach," gwingodd Twm.

"Dwi'n ei gasáu o. Y mochyn celwyddog. Addo i fi na fyddi di'n siarad efo fo byth eto," plediodd hi'n daer.

"Wel ..."

"Addo, Twm."

"Dwi'n addo," atebodd Twm.

Ar hynny, chwyrlïodd chwa o wynt milain drwy'r iard.

18

Y Vortex 3000

Doedd Elliw ddim yn credu y byddai'r ddeiseb i ailbenodi Miss Malais i'w swydd yn boblogaidd iawn.

Ac roedd hi yn llygad ei lle.

Erbyn diwedd y dydd, dim ond tri llofnod oedd ar y ddeiseb – un Twm ei hun, un Elliw, ac un Mrs Slwtsh. Yr unig reswm y bodlonodd y ddynes ginio ei arwyddo oedd oherwydd i Twm gytuno i flasu un o'i thartenni baw bochdew. Blasai'n waeth nag y swniai. Er nad oedd ganddo, mewn gwirionedd, fawr mwy na thudalen wag, teimlai Twm ei bod hi'n werth cyflwyno'i ddeiseb i'r prifathro. Roedd yn gas ganddo Miss Malais, ond fedrai o ddim deall pam iddi gael y sac. Er gwaethaf popeth, roedd hi'n athrawes dda, yn well o lawer na Dolur Rhydd, neu beth bynnag oedd ei enw gwirion o.

"Helô, blant!" cyfarchodd ysgrifenyddes y prifathro hwy'n serchog. Dynes dew, siriol a wisgai sbectols â ffrâm liwgar oedd Mrs Plwmp. Eisteddai bob amser y tu ôl i'w desg yn swyddfa'r prifathro. Mewn gwirionedd, welodd neb 'mohoni'n sefyll ar ei thraed erioed. Doedd hi ddim yn anodd dychmygu ei bod hi mor fawr fel ei bod yn sownd i'r gadair yn barhaol.

"Ry'n ni yma i weld y prifathro, os gwelwch yn dda," mynnodd Twm.

"Mae gynnon ni ddeiseb iddo fo," ychwanegodd Elliw yn gefnogol, gan arddangos y darn papur yn ei llaw.

"Deiseb! Am hwyl!" gwenodd Mrs Plwmp.

"Ie, deiseb i ailbenodi Mrs Malais i'w swydd,"

meddai Twm mewn llais gwrol a fyddai, gobeithio, yn creu argraff ar Elliw. Am eiliad, ystyriodd fwrw'i ddwrn ar y ddesg er mwyn ychwanegu pwyslais, ond doedd o ddim am daro yr un o deganau meddal lwcus niferus Mrs Plwmp i'r llawr.

"O, ie. Miss Malais, athrawes fendigedig. Dwi ddim yn deall hynna o gwbwl, ond mae'n flin gen i blant, ry'ch chi newydd golli Mr Bowen."

"O, na," meddai Twm.

"Do, mae o newydd adael. O, sbiwch, dyna fo rŵan." Defnyddiodd un o'i bysedd gemog, siâp selsigen i bwyntio draw i gyfeiriad y maes parcio. Syllodd Twm ac Elliw trwy'r gwydr. Ymlwybrai'r prifathro ar gyflymder malwoden y tu ôl i'w ffrâm Zimmer.

"Arafwch, arafwch, Mr Bowen, neu fe wnewch chi niwed i chi eich hun!" galwodd yr ysgrifenyddes ar ei ôl. Yna trodd at Twm ac Elliw. "Dydi o ddim yn fy nghlywed i. Wel, a dweud y gwir, dydi o'n clywed dim! Ydych chi am adael y ddeiseb fach 'na efo fi?" Gwyrodd ei phen ac edrych arni am eiliad. "O diar, mae'n rhaid bod inc yr holl lofnodion wedi pylu ar y papur."

"Ro'n ni'n gobeithio cael mwy," eglurodd Twm yn llipa.

"Wel, os rhedwch chi, mae'n bosib y gwnewch chi ei ddal o!" meddai Mrs Plwmp.

Rhannodd Twm ac Elliw wên, cyn cerdded yn araf allan i'r maes parcio. Er mawr syndod i'r ddau roedd Mr Bowen wedi gadael ei ffrâm Zimmer ac yn dringo'n drafferthus ar gefn beic modur Harley Davidson newydd sbon – model Vortex 3000 wedi'i bŵeru gan injan jet. Adnabu Twm y beic gan fod ei dad yn berchen ar gasgliad bychan o 300 o feiciau modur ac yn cael modd i fyw o ddangos catalogau i'w fab yn llawn o rai newydd yr oedd am eu prynu. Y beic hwn, am bris o £250,000, oedd y beic modur drytaf i gael ei gynhyrchu erioed. Roedd yn lletach na char, yn dalach na lorri, ac yn dduach na thywyllwch. Disgleiriai â chrôm reit wahanol i'r crôm ar ffrâm Zimmer y prifathro.

"Brifathro!" galwodd Twm, ond roedd o'n rhy hwyr. Roedd Mr Bowen eisoes wedi gwisgo'i helmed ac yn refio'r injan. Rhoddodd y bwystfil mewn gêr a

rhuo heibio i geir gwylaidd yr athrawon eraill ar gyflymder o gan milltir yr awr. Symudai'r beic mor gyflym nes bod y prifathro'n cydio'n sownd gerfydd ei ddwylo, a'i hen goesau bach yn hofran fry yn yr awyr y tu ôl iddo.

"HHHWWWWWRRRRRRRRRÊÊÊÊÊÊ!" llefodd y Prifathro wrth iddo ef a'i beiriant hurt ddiflannu i'r pellter, gan droi'n smotyn bach ar y gorwel o fewn eiliadau.

"Mae rhywbeth rhyfedd iawn yn digwydd," dywedodd Twm wrth Elliw. "Mae'r Wrach yn cael y sac, mae'r prifathro'n cael beic modur gwerth £250,000 ..."

"Rwyt ti'n bod yn wirion, Twm! Cyd-ddigwyddiad, dyna'r cyfan!" chwarddodd Elliw. "Nawr, oes gwahoddiad i fi ddod draw am swper heno o hyd?" ychwanegodd, gan droi'r sgwrs yn gyflym.

"Oes, oes, oes," meddai Twm yn awyddus. "Beth am i ni gwrdd y tu allan i siop Huw mewn awr?"

"Grêt. Wela i di bryd hynny."

Gwenodd Twm hefyd, a'i gwylio'n cerdded i ffwrdd.

Ond roedd y wawr ddisglair a amgylchynai Elliw ym meddwl Twm wedi dechrau duo. Yn sydyn synhwyrodd fod rhywbeth mawr o'i le.

19

Pen-ôl Babŵn

"Efallai fod dy brifathro di'n mynd trwy argyfwng canol oed," awgrymodd Huw.

Wrth alw heibio'r siop bapurau ar y ffordd adref o'r ysgol, fe soniodd Twm wrth Huw am ddigwyddiadau rhyfedd y diwrnod.

"Mae Mr Bowen tua chant oed. Mae'n rhaid ei fod o dros hanner ffordd trwy'i fywyd!" atebodd Twm.

"Yr hyn dwi'n ei olygu, Mistar Gwybod Popeth," aeth Huw yn ei flaen, "yw ei fod o'n trio teimlo'n ifanc unwaith eto."

"Ond hwnna yw'r beic modur drytaf yn y byd.

Mae'n werth chwarter miliwn o bunnoedd. Athro ydi o, nid pêl-droediwr! Sut yn y byd gallai o fforddio i'w brynu?!" pwysleisiodd Twm.

"Wn i ddim ... nid ditectif fel Miss Marblis na Sgerlog Holmes ydw i," meddai Huw, cyn edrych o gwmpas ei siop a dechrau sibrwd. "Twm, mae'n rhaid i fi ofyn rhywbeth i ti, yn gwbwl gyfrinachol."

Gostyngodd Twm ei lais hefyd. "Dos amdani."

"Mae hyn yn hynod chwithig, Twm," sibrydodd Huw. "Ond wyt ti'n defnyddio papur tŷ bach arbennig dy dad?"

"Ydw, wrth gwrs, Huw. Mae pawb yn ei ddefnyddio!"

"Wel, dwi wedi bod yn defnyddio'i un newydd o ers rhai wythnosau bellach."

"Yr un blas mintys?" gofynnodd Twm.

Erbyn hyn roedd dewis helaeth o gynnyrch Sychdin ar y farchnad, gan gynnwys:

SYCHDIN POETH – papur sy'n cynhesu'ch pen-ôl wrth i chi ei lanhau.

SYCHDIN SENSITIF – papur arbennig o feddal ar gyfer penolau delicet.

SYCHDIN MINTYS – papur sy'n gadael arogl ffres ar eich pen-ôl.

"Ie, a ..." cymerodd Huw anadl ddofn. "Mae fy mhen-ôl i wedi troi ... wel ... yn biws!"

"Piws!" chwarddodd Twm mewn syndod.

"Mae hwn yn fater difrifol dros ben," dwrdiodd Huw. Edrychodd i fyny'n sydyn. "Un copi o'r *Cymro* a phecyn o Rolos – dyna 85c. Byddwch yn ofalus gyda'r Rolos yna ar eich dannedd gosod, Mr Puw."

Arhosodd i'r pensiynwr adael y siop. *Ding* canodd cloch y drws.

"Welais i 'mohono fo yn fan'na. Mae'n rhaid ei fod o wedi bod yn cuddio y tu ôl i'r creision," meddai

Huw, gan boeni braidd am yr hyn a glywodd y pensiynwr.

"Tynnu coes wyt ti, ie, Huw?" holodd Twm â gwên gellweirus.

"Na, dwi o ddifri, Twm," meddai Huw yn ddwys.

"Dangosa i fi, 'te!" meddai Twm.

"Fedra i ddim dangos fy mhen-ôl i ti, Twm! Dim ond newydd gwrdd ry'n ni!" ebychodd Huw. "Ond gad i fi lunio graff syml er mwyn i ti gael deall."

"Graff?" holodd Twm.

"Bydd yn amyneddgar, Twm."

Wrth i Twm wylio estynnodd Huw am bapur a

pheniau ffelt, a thynnu llun y graff syml hwn:

"'Rargol, mae hynna yn biws!" ebychodd Twm gan astudio'r graff. "Ydi o'n boenus?"

"Mae o'n brifo braidd."

"Wyt ti wedi bod i weld meddyg?" gofynnodd Twm.

"Do, ac fe ddywedodd o iddo weld cannoedd o bobl yn yr ardal â phenolau piws llachar."

"O na," ebychodd Twm.

"Efallai y bydd yn rhaid i fi gael trawsblaniad pen-ôl!"

Fedrai Twm ddim peidio â chwerthin. "Trawsblaniad pen-ôl?"

"Ie! Dydi hyn ddim yn ddoniol, Twm," dwrdiodd Huw. Edrychai fel pe bai wedi'i frifo gan y ffaith fod ei ben-ôl yn destun gwawd.

"Na, sorri," meddai Twm, gan biffian chwerthin o hyd.

"Dwi'n meddwl y gwna i roi'r gorau i ddefnyddio

papur tŷ bach Sychdin newydd dy dad a mynd yn ôl i ddefnyddio'r stwff sgleiniog gwyn yr arferai fy ngwraig ei brynu."

"Dwi'n siŵr nad y papur tŷ bach sydd ar fai," meddai Twm.

"Ond beth arall sydd ar fai?"

"Mae'n flin gen i, Huw, ond gwell i fi fynd," meddai Twm. "Dwi wedi gwahodd fy nghariad i swper."

"Oooo, cariad rŵan, ie? Y ferch dlos ddaeth i'r siop efo ti pan werthais i'r hufen iâ i ti?" holodd y siopwr yn llon.

"Ie, dyna hi," meddai Twm yn swil. "Wel, dwi ddim yn hollol siŵr a yw hi'n gariad i fi, ond ry'n ni wedi bod yn treulio tipyn o amser gyda'n gilydd ..."

"Gobeithio y cewch chi noson hyfryd!"

"Diolch!" Pan gyrhaeddodd Twm y drws, trodd yn ôl at y siopwr. Fedrai o ddim peidio. "O, gyda llaw, Huw, pob lwc efo'r trawsblaniad pen-ôl ..."

"Diolch, gyfaill."

"Gobeithio y gwnân nhw ddod o hyd i un digon mawr!" chwarddodd Twm.

"Allan o'm siop i! Allan! Allan!" gwaeddodd Huw.

Ding.

"Y diawl bach digywilydd," mwmialodd y siopwr gyda gwên, wrth iddo aildrefnu rhes o fariau siocled yn daclus.

20

Pêl Glan Môr wedi'i Rholio mewn Blew

Dirgrynai Llys Sychdin gan guriad cerddoriaeth. Troellai goleuadau llachar ym mhob ystafell. Heidiai cannoedd o bobl drwy bob twll a chornel o'r tŷ. Dyma barti a fyddai'n sicr o dderbyn cwynion am lefel y sŵn.

Gan bobl o Sweden.

Doedd gan Twm ddim syniad fod parti'n cael ei gynnal yn y tŷ heno. Soniodd Dad ddim amser brecwast ac roedd Twm wedi gwahodd Elliw draw am swper. Gan ei bod hi'n nos Wener gallen nhw aros ar eu traed yn hwyr. Byddai'n berffaith. Efallai taw heno fyddai'r noson iddyn nhw gusanu, hyd yn oed.

"Mae'n flin gen i, doedd gen i ddim syniad o gwbwl am hyn," meddai Twm wrth iddyn nhw nesáu at y grisiau cerrig mawr o flaen y tŷ.

"Dim problem, siŵr – dwi wrth fy modd efo partis!" atebodd Elliw.

Wrth iddi dywyllu, baglodd dieithriaid yn cydio'n dynn mewn poteli o siampên allan o'r tŷ. Estynnodd Twm am law Elliw a'i harwain trwy'r drws ffrynt derw enfawr.

"Ew, am dŷ!" gwaeddodd Elliw dros sŵn y gerddoriaeth.

"Beth?" meddai Twm.

Rhoddodd Elliw ei cheg wrth glust Twm er mwyn iddo fedru ei chlywed. "'Ew, am dŷ!' ddywedais i." Ond fedrai Twm ddim ei chlywed yn iawn o hyd. Cymaint oedd ei gyffro o deimlo gwres ei hanadl mor agos ato nes y stopiodd wrando am foment.

"DIOLCH!" gwaeddodd Twm yn ôl yn nghlust Elliw. Aroglai ei chroen yn felys fel mêl.

Chwiliodd Twm ym mhob twll a chornel o'r tŷ am ei dad. Doedd dim posib dod o hyd iddo.

Roedd pob ystafell dan ei sang o bobl, ond doedd Twm ddim yn adnabod yr un copa walltog. Pwy yn y byd oedden nhw i gyd? Yn llowcio coctels ac yn sglaffio rholiau selsig fel 'tae'r byd ar ben. Gan ei fod mor fyr, roedd hi'n anodd iawn i Twm weld dros eu pennau nhw. Doedd ei dad ddim yn yr ystafell snwcer. Doedd o ddim yn yr ystafell fwyta. Doedd o ddim yn yr ystafell dylino. Doedd o ddim yn y llyfrgell. Doedd o ddim yn yr ystafell fwyta arall. Doedd o ddim yn ei ystafell wely. Doedd o ddim yn nhŷ'r ymlusgiaid.

"Beth am drio'r pwll nofio?" gwaeddodd Twm yng nghlust Elliw.

"Mae gynnoch chi bwll? Cŵl!" gwaeddodd hithau yn ôl.

Aeth y ddau heibio i ddynes yn chwydu yn ei

chwrcwd wrth y sawna wrth i ddyn (ei chariad, fwy na thebyg) rwbio'i chefn yn gefnogol. Roedd rhai o westeion y parti naill ai wedi deifio neu ddisgyn i mewn i'r pwll ac yn dowcio o gwmpas yn y dŵr. Roedd Twm yn mwynhau nofio, a theimlai'n reit sâl wrth feddwl na fyddai unrhyw un o'r bobl hyn yn debygol o fynd allan o'r pwll pe baen nhw angen gwneud pi-pi.

A dyna pryd y gwelodd ei dad – yn gwisgo dim ond pâr o dryncs nofio a'i wallt gosod affro cyrliog – yn dawnsio i gân gwbwl wahanol i'r un a floeddiai o'r seinydd. Gorchuddiwyd y wal y tu ôl iddo â murlun anferthol o fersiwn rhyfeddol o gyhyrog ohono'i hun yn ymlacio mewn trôns pitw bach. Dawnsiai'r Mr Sglods go iawn yn chwithig o wael y tu blaen i'r murlun, gan ymdebygu i bêl glan môr wedi'i rholio mewn blew.

"Be goblyn sy'n mynd 'mlaen, Dad?" gwaeddodd Twm, yn rhannol gan fod y gerddoriaeth mor uchel ac yn rhannol oherwydd ei fod yn flin na soniodd

ei dad unrhyw beth wrtho am y parti. "Pwy ydi'r bobl 'ma? Dy ffrindiau di?"

"O na, fe wnes i eu llogi nhw. £500 yr un. Gwesteionparti.com."

"Ar gyfer beth mae'r parti, Dad?"

"Wel, dwi'n gwybod y byddi di'n falch iawn o glywed fod Rhosyn a finna wedi dyweddïo!"

gwaeddodd Mr Sglods.

"Beth yn y—?" tagodd Twm, heb fedru cuddio'i syndod.

"Mae'n newyddion gwych, yn tydi?" bloeddiodd Dad. Parhau i atseinio wnaeth y gerddoriaeth.

Doedd Twm ddim am gredu'r peth. Oedd yn rhaid i'r hulpan wirion yma fod yn fam iddo, wir?

"Fe ofynnais i iddi ddoe ac fe ddywedodd hi 'na', ond yna fe ofynnais i iddi heddiw eto a rhoi modrwy ddiemwnt fawr iddi ac fe ddywedodd hi 'gwnaf'."

"Llongyfarchiadau, Mr Sglods," meddai Elliw.

"Felly mae'n rhaid dy fod ti'n ffrind ysgol i fy mab?" Llithrodd y geiriau'n drwsgwl o enau Mr Sglods.

"Dyna chi, Mr Sglods," atebodd Elliw.

"Galwa fi'n Terwyn, plis," meddai Mr Sglods dan wenu. "Ac mae'n rhaid i ti gwrdd â Rhosyn. RHOSYN!" gwaeddodd.

Simsanodd Rhosyn draw yn ei sodlau uchel

melyn llachar a'i ffrog fini fwy llachar fyth.

"Wnei di ddangos dy fodrwy ddyweddïo i ffrind Twm, fy nuwies cariad brydferthach na phrydferth? Ugain miliwn o bunnoedd, a hynny am y diemwnt yn unig."

Syllodd Twm ar y garreg ar fys ei ddarpar lysfam. Roedd hi tua'r un maint â byngalo bychan. Hongiai braich chwith Rhosyn yn is na'i braich dde oherwydd y pwysau.

"O ... mae ... mae ... hi mor drwm, dwi methu'n lân â chodi fy mraich, ond os plygi di i lawr galli di ei gweld hi ..." meddai Rhosyn. Camodd Elliw'n nes er mwyn cael golwg iawn. "Nagw i wedi dy weld di yn rhywle o'r blân?" holodd Rhosyn.

Torrodd Mr Sglods ar eu traws. "Na, dwi ddim yn meddwl, fy nghariad hoff."

"Do, 'wy wedi!" meddai Rhosyn.

"Naddo, fy enaid hoff gytûn!"

"OMB! 'Wy'n gwbod lle 'wy wedi dy weld di!"

"Fe ddywedais i, 'Cau dy geg, fy nhywysoges siocled!'" meddai Mr Sglods.

"Ti na'th yr hysbyseb 'na ar gyfer Pot Nŵdl!" ebychodd Rhosyn.

Trodd Twm at Elliw. Edrychodd hithau ar y llawr.

"Ma' fe'n rîli dda – ti'n gwbod yr un, Twm," aeth Rhosyn yn ei blaen. "Ar gyfer y blas surfelys newydd. Yr un lle mae'n rhaid iddi wneud karate er mwyn stopio pobl rhag ei ddwyn e!"

"Rwyt ti *yn* actores!" poerodd Twm. Daeth yr hysbyseb yn fyw yn ei feddwl. Roedd ei gwallt hi'n lliw gwahanol, a doedd hi ddim yn gwisgo siwt undarn melyn, ond Elliw oedd hi, heb os nac oni bai.

"Gwell i fi fynd," meddai Elliw.

"Ddywedaist ti gelwydd ynglŷn â chael cariad, hefyd?" mynnodd Twm.

"Hwyl fawr, Twm," meddai Elliw, cyn nadreddu trwy'r gwesteion wrth ochr y pwll a rhedeg i ffwrdd.

"ELLIW!" gwaeddodd Twm ar ei hôl.

"Gad iddi fynd, 'machgen i," meddai Mr Sglods yn drist.

Ond rhedodd Twm ar ei hôl, a llwyddo i'w dal wrth iddi gyrraedd pen y grisiau cerrig. Daliodd yn ei braich, yn galetach nag y bwriadodd, a'i throi hi ato.

"Awww!"

"Pam ddywedaist ti gelwydd wrtha i?" mynnodd Twm.

"Jyst anghofia'r peth," meddai Elliw. Yn sydyn ymddangosai fel person hollol wahanol. Roedd ei llais yn fwy crand a doedd ei hwyneb ddim mor garedig. Roedd y sbarc yn ei llygaid wedi diflannu, heb os, a'r wawr lachar o'i chwmpas wedi troi'n gysgod tywyll. "Dwyt ti ddim eisiau gwybod."

"Ddim eisiau gwybod beth?"

"Yli, os oes rhaid i ti gael gwybod, fe welodd dy dad fi ar yr hysbyseb 'na a ffonio fy asiant, gan ddweud dy fod ti'n anhapus yn yr ysgol, a chynnig fy nhalu i i fod yn ffrind i ti. Roedd popeth yn iawn tan i ti drio fy nghusanu i."

Sgipiodd Elliw i lawr y grisiau a rhedeg i ffwrdd ar hyd y lôn hir a arweiniai at y tŷ. Syllodd Twm arni'n mynd am rai eiliadau, hyd nes bod y boen yn ei galon mor ofnadwy fel y bu raid iddo blygu drosodd i'w rhwystro. Disgynnodd i'w bengliniau. Camodd un o westeion y parti drosto. Symudodd Twm yr un fodfedd. Teimlai mor drist fel na chredai y byddai'n llwyddo i godi ar ei draed byth eto.

21

TGAU mewn Coluro

"DAD!" sgrechiodd Twm. Doedd o erioed wedi bod mor flin â hyn o'r blaen, a gobeithiodd na fyddai o byth eto chwaith. Rhedodd at y pwll er mwyn wynebu ei dad.

Sythodd Mr Sglods ei wallt gosod yn nerfus wrth i'w fab agosáu.

Anadlodd Twm yn drwm wrth sefyll o flaen ei dad. Roedd o'n rhy flin i siarad.

"Mae'n wir, wir ddrwg gen i, 'machgen i. Ro'n i'n meddwl taw dyna fyddet ti'i isio. Ro'n i am wneud pethau'n well i ti yn yr ysgol. Fi drefnodd i'r athrawes 'na roeddet ti'n ei chasáu gael y sac, hefyd.

Y cyfan y bu'n rhaid i mi wneud oedd prynu beic modur i'r prifathro."

"Felly .... fe drefnaist ti fod hen ddynes yn colli'i swydd ... Ac yna, ac yna ... fe ... fe dalaist ti i ferch fy hoffi ..."

"Ro'n i'n meddwl taw dyna roeddet ti'i isio."

"*Beth*?"

"Gwranda, galla i brynu ffrind arall i ti," meddai Mr Sglods.

"DWYT TI DDIM YN DALLT, WYT TI?" sgrechiodd Twm. "Mae rhai pethau nad oes modd eu prynu."

"Fel beth?"

"Fel cyfeillgarwch. Fel teimladau. Fel cariad!"

"A dweud y gwir, ma' modd prynu'r un ola 'na," cynigiodd Rhosyn, a oedd yn parhau i fethu â chodi ei llaw.

"Dwi'n dy gasáu di, Dad, dwi wir yn," gwaeddodd Twm.

"Twm, plis," ymbiliodd Mr Sglods. "Ara' deg rŵan. Beth am siec fach neis am bum miliwn o bunnoedd?"

"Oooo, ie, plis," gwichiodd Rhosyn.

"Dwi ddim isio mwy o dy bres gwirion di," poerodd Twm yn watwarus.

"Ond Twm, 'machgen i ..." ymbiliodd Mr Sglods.

"Y peth ola dwi isio ydi bod fel ti ... Dyn canol oed â hulpan wirion o ddyweddi sy'n ddigon ifanc i fod yn ferch iddo!"

"Esgusoda fi, ma' 'da fi TGAU mewn coluro," meddai Rhosyn yn flin.

"Dwi ddim isio gweld yr un ohonoch chi byth eto!" meddai Twm. Rhedodd allan o'r ystafell, gan wthio'r ddynes oedd yn chwydu o'i ffordd ac i mewn i'r pwll. Yna caeodd y drws mawr yn glep y tu ôl iddo. Disgynnodd un o'r teils o furlun Mr Sglods oddi ar y wal a chwalu'n deilchion ar lawr.

"TWM! TWM! ARHOSA!" gwaeddodd Mr Sglods.

Ochrgamodd Twm heibio i'r dyrfa o westeion a rhedeg i fyny i'w lofft, gan gau'r drws â chlep y tu ôl iddo. Doedd dim clo ar y drws, felly estynnodd am gadair a'i gosod o dan y ddolen fel na fyddai'n agor. Wrth i guriad y gerddoriaeth ddyrnu trwy'r carped, cydiodd Twm mewn bag a dechrau ei lenwi â dillad.

Ni wyddai i ble roedd am fynd, felly doedd o ddim yn siŵr beth fyddai ei angen arno. Y cyfan a wyddai oedd nad oedd am aros yn y tŷ chwerthinllyd hwn funud yn rhagor. Cydiodd yn rhai o'i hoff lyfrau (*Cyfrinach Nana Crwca* a *Mr Ffiaidd* – y ddau yn llyfrau hynod ddoniol ond eto'n cynhesu'r galon, ym marn Twm).

Yna edrychodd ar ei holl deganau a theclynnau drudfawr ar y silff. Denwyd ei lygaid at y roced fechan o roliau papur tŷ bach a roddodd ei dad iddo pan weithiai yn y ffatri. Cofiodd taw anrheg ar ei ben-blwydd yn wyth oed oedd o. Roedd ei fam a'i dad yn dal gyda'i gilydd bryd hynny a thybiodd Twm taw dyna'r tro diwethaf iddo fod yn wirioneddol hapus.

Wrth i'w law estyn am y roced, daeth sŵn pwnio aflafar o gyfeiriad y drws.

"Gad fi mewn, 'machgen i ..."

Ddywedodd Twm yr un gair. Doedd ganddo ddim

mwy i'w ddweud wrth y dyn hwn. Teimlai Twm fel pe bai wedi colli ei dad go iawn flynyddoedd yn ôl.

"Twm, plis," erfyniodd Mr Sglods. Yna cafwyd saib.

BBBBBBBBBBBBBBBBBBBBBBBBBB
BBBBBBBBBBAAAAAAAAAAAAAAAA
AAAAAAAAAAAAAAAAAAAAAAAAAA
NNNNNNNNNNNNNNNNNNNNNNNNNN
NNNNNNNNNNNNNGGGGGGGGGG
GGGGGGGGGGGGGGGGGG.

Roedd tad Twm yn ceisio gwthio'r drws ar agor.

"Agora'r drws 'ma!"

BBBBBBBBBBBBBBBBBBB
BBBBBBBBBBBBBBBBBBAA
AAAAAAAAAAAAAAAAAA
AAAAAAAAAAAAAAAAAA
AANNNNNNNNNNNNNNN
NNNNNNNNNNNNNNNNN
NNNNNNNGGGGGGGGGG
GGGGGGGGGGGGGGGGG.

"Dwi wedi rhoi pob dim i ti!" Pwniai â'i holl nerth erbyn hyn, wrth i goesau'r gadair gloddio'u hunain yn ddyfnach i'r carped. Gwnaeth un ymdrech olaf.

BBBBBBBBBBBBBB BBBBBBBBBBBBBBBB BBBBBBBAAAAAAAA AAAAAAAAAAAAAA AAAAAAAAAAAAAA AAAAANNNNNNNN NNNNNNNNNNNNN NNNNNNNNNNNNN NNNNGGGGGGGG GGGGGGGGGGGGG GGGGGG.

Yna, clywodd Twm bwniad llai nerthol o lawer wrth i'w dad ildio a phwyso'i gorff yn erbyn y drws. Dilynwyd hyn gan sŵn gwichian a mwmian crio wrth i'w gorff lithro i'r llawr. Bellach, ddaeth dim smic o olau trwy'r bwlch bychan o dan y drws. Rhaid bod ei dad wedi syrthio'n swp ar lawr.

Teimlai Twm yn euog ofnadwy. Gwyddai taw'r cyfan yr oedd angen iddo'i wneud er mwyn rhoi terfyn ar ddiflastod ei dad oedd agor y drws. Gosododd ei law ar y gadair am foment. *Os agora i'r drws 'na rŵan*, meddyliodd, *fydd dim byd yn newid*.

Anadlodd Twm yn ddwfn, codi'i law, cydio yn ei fag a cherdded at y ffenest. Agorodd hi'n araf fel na fyddai ei dad yn clywed, a dringo allan ar y sil ffenest. Cymerodd un cip olaf ar ei ystafell wely cyn neidio i'r tywyllwch, ac i bennod newydd sbon.

22

Pennod Newydd Sbon

Rhedodd Twm cyn gyflymed ag y gallai (doedd hynny ddim yn gyflym iawn, a bod yn hollol onest). Ond teimlai'n gyflym iddo fo. Rhedodd i lawr y lôn hir, hir. Ochrgamodd heibio i'r gwarchodwyr. Neidiodd dros y wal. Ai pwrpas y wal oedd cadw pobl draw neu ei gadw fo'n gaeth? Feddyliodd o erioed am y peth o'r blaen. Ond doedd ganddo ddim amser i feddwl am hynny rŵan. Roedd yn rhaid i Twm redeg. A pharhau i redeg.

Wyddai Twm ddim *i* ble roedd o'n rhedeg. Y cyfan a wyddai oedd *o* ble roedd o'n rhedeg. Fedrai o ddim byw eiliad yn rhagor yn y tŷ gwirion 'na efo'i dad gwirionach fyth. Rhedodd i lawr y ffordd. Y cyfan a glywai oedd ei anadl ef ei hun yn mynd yn gynt ac yn gynt. Roedd blas gwaed yn ei geg. Difarai beidio â rhoi mwy o ymdrech i'r rhedeg traws gwlad yn yr ysgol.

Roedd hi'n hwyr erbyn hyn. Wedi hanner nos. Taflai'r polion lamp eu goleuni'n ddibwrpas dros y dref fechan, wag. Wrth agosáu at ganol y dref, arafodd Twm cyn dod i stop. Swatiai car unig ar y ffordd. Gan sylweddoli ei fod ar ei ben ei hun, teimlodd Twm ias hyd asgwrn ei gefn. Gwawriodd realiti ei ddihangfa fawr arno. Edrychodd ar ei adlewyrchiad mewn ffenest caffi cyfagos. Syllodd bachgen deuddeg oed llond ei groen heb unman i fynd yn ôl arno. Rowliodd car heddlu heibio'n araf a thawel. Ai chwilio amdano fo roedd o? Cuddiodd Twm y tu ôl i'r bin plastig. Roedd arogl y saim a'r sos coch a'r cardfwrdd poeth mor droëdig fel y bu bron iddo dagu. Rhoddodd Twm ei law dros ei geg er mwyn celu'r sŵn. Doedd o ddim am i'r heddlu ddod o hyd iddo.

Trodd y car heddlu gornel a mentrodd Twm allan i'r stryd. Fel bochdew wedi dianc o'i gaets, cadwodd yn agos at yr ymylon a'r corneli. Fedrai o fynd i dŷ Bob? *Na*, meddyliodd Twm. Fuodd o mor hapus o gwrdd ag Elliw, neu beth bynnag oedd ei henw gwirion go iawn hi, fel y gwnaeth dro gwael iawn â'i unig ffrind. Cynigiodd Mrs Slwtsh glust garedig, ond daeth yn amlwg o'r cychwyn ei bod hi ar ôl ei arian.

Beth am Huw? *Ie*, meddyliodd Twm. Gallai fynd i fyw at y siopwr â'r pen-ôl piws. Gallai wersylla y tu ôl i'r rhewgell. Wedi'i guddio'n ddiogel yno, gallai ddarllen cylchgronau trwy'r dydd a gloddesta ar losin oedd fymryn yn hen. Fedrai o ddim dychmygu gwell bywyd.

Roedd meddwl Twm ar ras, ac, o fewn dim, ei goesau hefyd. Croesodd y ffordd a throi i'r chwith.

Gwyddai fod siop Huw gerllaw. Rhywle uwch ei ben yn yr awyr ddu clywodd sŵn yn y pellter. Cynyddodd y sŵn. Trodd yn sŵn mwmian, yna'n sŵn grwnan.

Hofrenydd oedd yno. Dawnsiai ei olau llachar ar hyd y strydoedd. Bloeddiai llais Mr Sglods trwy uchelseinydd.

"TWM SGLODS, DY DAD SY'N SIARAD. TYRD ADRA, 'MACHGEN I. MI DDYWEDA I ETO, TYRD ADRA."

Hyrddiodd Twm ei hun i fynedfa siop sebonau gyfagos. Methai'r pelydrau golau ei ddal o drwch blewyn. Llenwyd ei ffroenau ag arogl hyfryd ewyn ymolchi pinafal a ffrwyth ciwi ac olew sgwrio traed cnau coco. Wrth glywed yr hofrenydd yn mynd heibio uwch ei ben, gwibiodd Twm i ochr arall y stryd, sleifio heibio i'r Caban Pitsa, yna'r Parlwr Pitsa, cyn canfod noddfa ym mynedfa Pitsas Perffaith. Wrth iddo gamu allan er mwyn gwibio heibio i'r Palas Pasta, ailymddangosodd yr hofrenydd uwch ei ben. Yn sydyn daliwyd Twm Sglods yn llwybr y golau llachar.

"PAID Â SYMUD. DWI'N AILADRODD, PAID Â SYMUD," taranodd y llais.

Edrychodd Twm i fyny ar y pelydryn o olau wrth i'w gorff grynu gan rym llafnau'r peiriant anferthol. "Dos i grafu!" gwaeddodd. "Dwi'n ailadrodd, dos i grafu!"

"TYRD ADRA RŴAN, TWM."

"Na."

"Twm, fe ddywedais i ..."

"Fe glywais i'r hyn ddywedaist ti ond dwi ddim am ddod adra. Dwi byth am ddod adra," gwaeddodd Twm. Wrth sefyll yno yn y golau llachar teimlai fel pe bai ar lwyfan mewn sioe ysgol hynod ddramatig. Troellodd yr hofrenydd uwch ei ben am foment wrth i'r uchelseinydd glecian mewn tawelwch.

Yna, penderfynodd Twm redeg nerth ei draed, gan wibio i lawr ffordd gefn heibio i Siop y Cymry, trwy'r maes parcio aml-lawr, a rownd i gefn Caffi Ceinwen. Cyn hir doedd yr hofrenydd yn ddim mwy na sŵn mwmian yn y pellter du.

Pan gyrhaeddodd Twm siop Huw, curodd yn ysgafn ar y caeadau metal. Ni chafodd ateb, felly curodd yn galetach y tro hwn, hyd nes yr ysgydwodd y caeadau gan rym ei ddyrnau. Dim ateb o hyd. Edrychodd Twm ar ei oriawr. Roedd hi'n ddau o'r gloch y bore. Doedd ryfedd nad oedd Huw yn ei siop.

Edrychai'n debygol taw Twm fyddai'r biliwnydd cyntaf erioed i gysgu ar balmant.

23

Paentio Pythefnosol

"Beth wyt ti'n ei wneud fan hyn?"

Doedd Twm ddim yn siŵr a oedd o ar ddihun, neu'n breuddwydio ei fod o ar ddihun. Fedrai o ddim symud, roedd hynny'n bendant. Roedd wedi'i gyffio gan yr oerfel, a gwingai pob modfedd o'i gorff. Fedrai o ddim agor ei lygaid eto, ond gwyddai heb ronyn o amheuaeth nad oedd wedi deffro rhwng cynfasau sidan ei wely pedwar postyn.

"'Beth wyt ti'n ei wneud fan hyn?' ddywedais i," daeth y llais unwaith eto. Gwgodd Twm yn ddryslyd. Nid acen Indiaidd oedd gan ei fwtler. Brwydrodd Twm i agor ei lygaid gludiog ag olion

Siôn Cwsg yn drwch drostyn nhw. Gwelodd wyneb mawr siriol yn edrych arno. Wyneb Huw.

"Pam wyt ti yma yr adeg yma o'r dydd, Meistr Sglods?" gofynnodd y siopwr yn garedig.

Wrth i'r wawr dorri trwy'r tywyllwch, edrychodd Twm ar yr hyn oedd o'i amgylch. Roedd wedi dringo i sgip y tu allan i siop Huw a syrthio i gysgu. Pentwr o frics oedd ei obennydd, darn o darpolin oedd ei gynfas, a hen ddrws pren llychlyd oedd ei fatres. Doedd ryfedd fod pob rhan o'i gorff yn gwingo.

"O, yym, helô, Huw," crawciodd Twm.

"Helô, Twm. Ro'n i ar fin agor y siop pan glywais i sŵn chwyrnu. A dyna lle'r oeddet ti. Fe gefais i gryn syndod, mae'n rhaid cyfaddef."

"Dydw i ddim yn chwyrnu!" protestiodd Twm.

"Mae'n flin gen i dy hysbysu dy fod ti. Rŵan a fyddet ti mor garedig â dringo allan o'r sgip a chamu i mewn i fy siop i, os gweli di'n dda? Dwi'n meddwl bod angen i ni siarad," meddai Huw, â thinc difrifol iawn i'w lais.

O na, meddyliodd Twm, *nawr dwi mewn trwbwl efo Huw.*

Er mai oedolyn oedd Huw o ran ei oed a'i faint, doedd o ddim byd tebyg i riant nac athro, a thasg anodd iawn oedd codi ei wrychyn. Un tro, fe ddaliwyd un o'r merched o ysgol Twm yn ceisio dwyn bag o greision o'r siop a chafodd ei gwahardd oddi yno gan Huw am bum munud cyfan.

Dringodd y biliwnydd llychlyd yn drafferthus o'r sgip. Gwnaeth Huw stôl iddo o bentwr o gylchgronau, a lapiodd gopi o'r *Financial Times* o amgylch ei ysgwyddau fel petai'n flanced fawr binc ddiflas.

"Rhaid dy fod ti wedi treulio'r noson y tu allan yn yr oerfel, Twm. Nawr, mae'n rhaid i ti fwyta brecwast. Mygiaid cynnes neis o lemonêd, falle?"

"Na, dim diolch," meddai Twm.

"Dau wy siocled wedi'u potsio?"

Ysgydwodd Twm ei ben.

"Mae'n rhaid i ti fwyta, fachgen. Bar o siocled wedi'i dostio?"

"Na, dim diolch."

"Beth am fowlennaid iachus o greision caws a nionod, efo llaeth cynnes?"

"Does arna i wir ddim awydd bwyd, Huw," meddai Twm.

"Wel, mae fy ngwraig i wedi fy rhoi i ar ddeiet gaeth felly dwi ddim ond yn cael bwyta ffrwythau i frecwast rŵan," cyhoeddodd Huw wrth ddadlapio oren siocled. "Rŵan, wyt ti'n mynd i ddweud wrtha i pam i ti gysgu mewn sgip neithiwr?"

"Fe wnes i redeg i ffwrdd o adra," eglurodd Twm.

"Ro'n i'n amau," meddai Huw yn aneglur wrth gnoi'n awchus ar sawl darn o'i oren siocled. "Ooo, hadau," meddai cyn poeri rhywbeth i gledr ei law. "Y cwestiwn yw, pam?"

Edrychai Twm yn anesmwyth. Teimlai fod y gwirionedd yn codi llawn cymaint o gywilydd arno â'i dad. "Wel, wyddost ti'r ferch yna ddaeth i mewn yma efo fi y diwrnod y prynon ni'r hufen iâ?"

"Ie, ie! Ti'n cofio fi'n sôn i fi ei gweld hi yn rhywle o'r blaen? Wel, roedd hi ar y teledu neithiwr! Mewn hysbyseb ar gyfer Pot Nŵdl! Felly, lwyddaist ti i roi cusan iddi o'r diwedd?" ebychodd Huw yn llawn cyffro.

"Na. Dim ond esgus fy hoffi i roedd hi. Fe dalodd fy nhad hi i fod yn ffrind i fi."

"O, diar," meddai Huw. Diflannodd y wên o'i wyneb. "Dydi hynny ddim yn iawn. Ddim yn iawn o gwbwl."

"Dwi'n casáu 'nhad," meddai Twm yn ei dymer.

"Paid â dweud hynna, Twm," meddai Huw, wedi'i synnu.

"Ond mi rydw i," mynnodd Twm, gan droi at Huw â thân yn ei lygaid. "Dwi'n ei GASÁU o!"

"Twm! Mae'n rhaid i ti roi'r gorau i siarad fel hyn rŵan. Fo ydi dy dad di."

"Dwi'n ei gasáu o. Dwi ddim am ei weld o byth eto."

Estynnodd Huw ei law yn betrus a'i rhoi ar ysgwydd Twm. Trodd dicter Twm yn dristwch yn syth ac, a'i ben wedi'i blygu, dechreuodd lefain. Crynai'n anfwriadol wrth i donnau o ddagrau lifo fel llanw a thrai trwy'i gorff.

"Dwi'n dallt sut rwyt ti'n teimlo, Twm, wir rŵan," mentrodd Huw. "Fe wn i o'r hyn ddywedaist ti dy fod ti wir yn hoffi'r ferch 'na, ond am wn i taw ... wel, taw dim ond trio dy wneud di'n hapus roedd dy dad."

"Yr holl bres 'na," igiodd Twm trwy'i ddagrau. "Mae o wedi difetha pob dim. Dwi hyd yn oed wedi colli fy unig ffrind o'i achos o."

"Na, dwi heb dy weld di a Bob efo'ch gilydd ers tro. Beth ddigwyddodd?"

"Fe wnes i ymddwyn fel ffŵl. Fe ddywedais i bethau cas iawn wrtho fo."

"O diar."

"Fe wnaethon ni ffraeo ar ôl i fi dalu'r bwlis 'ma i

adael llonydd iddo fo. Ro'n i'n meddwl 'mod i'n ei helpu o, ond fe aeth o'n wyllt gacwn am y peth."

Nodiodd Huw yn araf. "Wyddost ti, Twm," meddai'n bwyllog. "Dydi'r hyn wnest ti i Bob ddim yn swnio'n wahanol iawn i'r hyn wnaeth dy dad i ti."

"Falle 'mod i'n snichyn bach sydd wedi'i sbwylio'n rhacs," meddai Twm. "Yn union fel ddywedodd Bob."

"Twt lol!" wfftiodd Huw. "Fe wnest ti rywbeth gwirion ac mae'n rhaid i ti ymddiheuro. Ond os oes gan Bob unrhyw synnwyr, fe fydd o'n maddau i ti. Galla i weld bod dy galon di yn y lle iawn. Doeddet ti ddim yn bwriadu gwneud cam ag o."

"Ro'n i ddim ond isio iddyn nhw roi'r gorau i'w fwlio fo!" llefodd Twm. "Wnes i feddwl, pe bawn i'n rhoi pres iddyn nhw ..."

"Wel, nid dyna'r ffordd i drechu bwlis, ŵr ifanc."

"Wn i hynny rŵan," cyfaddefodd Twm.

"Os rhoddi di bres iddyn nhw byddan nhw'n dod

yn ôl ac yn ôl am fwy."

"Wn i, ond ro'n i ond yn trio helpu Bob."

"Mae'n rhaid i ti sylweddoli nad yw pres yn datrys pob dim, Twm. Mae'n bosib y byddai Bob wedi gwrthsefyll y bwlis ei hun, yn y pen draw. Nid pres yw'r ateb. Wyddost ti fy mod i'n ddyn cyfoethog iawn ar un adeg?"

"Wir?" meddai Twm, gan deimlo cywilydd yn syth iddo gyfleu cymaint o syndod. Snwffiodd a sychu'i wyneb gwlyb yn ei lewys.

"O, oeddwn," atebodd Huw. "Ro'n i unwaith yn berchen ar gadwyn fawr o siopau papur."

"'Rargol! Faint o siopau oedd gen ti, Huw?"

"Dwy. Ro'n i'n mynd â channoedd o bunnoedd, yn llythrennol, adra bob wythnos. Os oeddwn i awydd rhywbeth, byddwn i'n ei brynu. Byrgyr neu ddau? Byddwn i'n prynu dwsin! Fe wariais i ffortiwn ar gar Ford Fiesta ail-law newydd sbon crand. A fyddwn i'n meddwl dim am ddychwelyd nofel ddiwrnod yn hwyr i'r llyfrgell a chael dirwy o 50 ceiniog!"

"Wel, yym, ydi, ma' hynna'n swnio fel tipyn o gyfoeth," meddai Twm. Wyddai o ddim beth arall i'w ddweud. "Beth aeth o'i le?"

"Golygai rhedeg dwy siop 'mod i'n gweithio oriau hir iawn, Twm, ac fe anghofiais i dreulio amser efo'r un person ro'n i'n ei charu. Fy ngwraig. Byddwn i'n prynu anrhegion hael iddi – bocsys o siocledi mintys, cadwen aur ffug o'r catalog, ffrogiau drudfawr o'r archfarchnad. Ro'n i'n meddwl taw dyna'r ffordd o'i gwneud hi'n hapus, ond mewn gwirionedd y cyfan roedd hi ei isio oedd cael treulio amser efo fi," gorffennodd Huw ei stori â gwên drist.

"Dyna'r cyfan dwi'i isio!" ebychodd Twm. "Cael treulio amser efo fy nhad. Does dim ots gen i am yr holl bres gwirion 'na."

"Tyrd, dwi'n siŵr bod dy dad yn dy garu di'n fawr iawn. Mi fydd o'n poeni'i enaid amdanat ti. Gad i fi fynd â ti adra," meddai Huw.

Edrychodd Twm ar Huw a llwyddo i gynnig gwên wan. "O'r gorau. Ond fedrwn ni alw heibio i dŷ Bob ar y ffordd? Dwi wir angen siarad efo fo."

"Wrth gwrs. Rwyt ti yn llygad dy le. Rŵan, dwi'n meddwl bod gen i ei gyfeiriad o yn rhywle gan fod ei fam o'n archebu'r *Daily Post* bob dydd Mercher," meddai Huw gan fyseddu drwy'i lyfr cyfeiriadau. "Neu *Golwg*? Neu *Paentio Pythefnosol*, falle? Dwi byth yn gallu cofio. A-ha, dyma ni. Fflat 112, Stad Gwynfor."

"Mae hynna filltiroedd o fan hyn," nododd Twm.

"Paid â phoeni, Twm. Fe ewn ni yn yr Huwgerbyd!"

24

Yr Huwgerbyd

"*Dyma*'r Huwgerbyd?" gofynnodd Twm.

Roedd Huw ac yntau'n edrych ar feic tair olwyn – un pinc â basged biws wedi'i chlymu i'w flaen, a sedd fflwffiog fyddai'n rhy fach i blentyn chwech oed, fwy na thebyg.

"Dyma fo!" cyhoeddodd Huw yn falch.

Pan soniodd y perchennog siop am yr Huwgerbyd, roedd Twm wedi dychmygu rhywbeth tebyg i'r Batmobîl neu gar Aston Martin James Bond, neu o leiaf fan Scooby Doo.

"Mae o braidd yn fach i ti, dwyt ti ddim yn meddwl?" gofynnodd.

"Fe brynais i o ar eBay am £3.50, Twm. Roedd o'n edrych yn dipyn mwy ar y we. Dwi'n siŵr taw corrach oedd yn sefyll wrth ei ymyl yn y llun! Er, chwip o fargen am y pris."

Yn anfoddog, eisteddodd Twm yn y fasged biws ar y blaen, wrth i Huw gymryd ei le ar y sedd.

"Cydia'n dynn, Twm! Mae'r Huwgerbyd yn dipyn o anghenfil!" meddai Huw, cyn cychwyn pedlo'n chwyrn. Dechreuodd y beic symud yn araf deg, gan wichian â phob troad o'r olwyn.

DRI**NG**.

Nid cloch ... O, falle 'mod i wedi defnyddio'r jôc yna ormod o weithiau erbyn hyn.

"Helô?" meddai dynes garedig ond drist yr olwg wrth agor drws fflat rhif 112.

"Ai chi yw mam Bob?" holodd Twm.

"Ie," atebodd y ddynes. Craffodd arno. "Mae'n rhaid taw Twm wyt ti," meddai mewn llais braidd yn anghyfeillgar. "Mae Bob wedi sôn *tipyn* amdanat."

"O," gwingodd Twm. "Hoffwn i ei weld o, os yw hynny'n iawn."

"Dwi ddim yn siŵr a fydd o isio dy weld di."

"Mae'n bwysig dros ben," meddai Twm. "Dwi'n gwybod 'mod i wedi'i drin o'n wael. Ond dwi am wneud yn iawn am hynny. Plis."

Ochneidiodd Mam Bob, cyn agor y drws. "Tyrd i mewn 'te," meddai.

Dilynodd Twm hi i mewn i'r fflat bychan. Roedd yr holl le tua'r un maint â'i ystafell ymolchi *en-suite* yntau. Edrychai'r adeilad fel petai wedi gweld dyddiau gwell. Roedd y papur wal yn disgyn oddi ar y waliau a'r carped wedi treulio mewn mannau. Arweiniodd y wraig Twm ar hyd y coridor i ystafell Bob a chnocio ar ei ddrws.

"Beth?" daeth llais Bob.

"Mae Twm yma i dy weld di," atebodd mam Bob.

"Deud wrtho fo am fynd i grafu."

Edrychodd mam Bob ar Twm yn llawn cywilydd.

"Paid â bod yn anghwrtais, Bob. Agora'r drws."

"Dwi ddim isio siarad efo fo."

"Falle y dyliwn ni fynd?" sibrydodd Twm, gan ddechrau troi tuag at y drws ffrynt. Ysgydwodd mam Bob ei phen.

"Agora'r drws 'ma ar unwaith, Bob. Wyt ti'n fy nghlywed i? Ar unwaith!"

Agorodd y drws yn araf. Roedd Bob yn dal yn ei byjamas. Syllodd ar Twm. "Beth wyt ti isio?"

"Dwi isio siarad efo ti," atebodd Twm.

"O'r gorau, 'ta, siarada."

"Beth am i fi fynd i wneud brecwast i'r ddau ohonoch chi?" cynigiodd mam Bob.

"Na, dydi o ddim yn aros," atebodd Bob.

Twt-twtiodd mam Bob a diflannu i'r gegin.

"Fe ddes i i ymddiheuro i ti," meddai Twm yn dawel.

"Mae hi braidd yn hwyr i hynny, dwyt ti ddim yn meddwl?" atebodd Bob.

"Yli, mae'n wir, wir ddrwg gen i am yr holl bethau ddywedais i."

Roedd Bob yn herfeiddiol o ddig. "Roeddet ti'n ofnadwy o gas."

"Wn i, ac mae'n ddrwg gen i. Do'n i jyst ddim yn dallt pam dy fod ti mor flin efo fi. Wnes i ddim ond rhoi arian i'r Sgramiaid er mwyn gwneud pethau'n haws i ti—"

"Ie, ond—"

"Wn i, wn i," meddai Twm yn frysiog. "Dwi'n

sylweddoli rŵan 'mod i wedi gwneud y peth anghywir, a dwi'n gwneud fy ngorau i esbonio sut ro'n i'n teimlo ar y pryd."

"Byddai ffrind go iawn wedi achub fy ngham i. Fy nghefnogi i, yn hytrach na fflachio'i bres o gwmpas y lle er mwyn gwneud i'r broblem ddiflannu."

"Dwi'n dwpsyn, Bob. Dwi'n gweld hynny rŵan. Twpsyn mawr tew, drewllyd."

Gwenodd Bob ryw fymryn, er iddo wneud ei orau i guddio'r wên.

"Ac roeddet ti'n iawn am Elliw, wrth gwrs," aeth Twm yn ei flaen.

"Ynglŷn â'r ffaith ei bod hi'n ffug?"

"Ie. Fe ddes i i wybod bod fy nhad yn ei thalu hi i fod yn ffrind i fi," meddai Twm.

"Wyddwn i ddim 'mo hynny. Mae'n rhaid bod hynna wedi brifo tipyn."

Teimlodd Twm gur yn ei galon wrth gofio

cymaint o boen a brofodd yn y parti neithiwr. "Do. Ro'n i'n hoff iawn ohoni."

"Ond fe anghofiaist ti pwy oedd dy ffrindiau *go iawn* di."

Teimlai Twm mor euog. "Wn i ... Mae'n flin gen i. Dwi wir yn dy hoffi di, Bob, wir. Ti yw'r unig blentyn yn yr ysgol oedd yn fy hoffi i am bwy ydw i, nid oherwydd fy mhres."

"Beth am i ni beidio â ffraeo eto 'te, Twm?" gwenodd Bob.

Gwenodd Twm hefyd. "Y cyfan ro'n i wir isio oedd ffrind."

"Rwyt ti'n dal yn ffrind i fi, Twm. Byddi di wastad yn ffrind i fi."

"Gwranda," meddai Twm. "Mae gen i rywbeth i ti. Anrheg, er mwyn ymddiheuro."

"Twm!" meddai Bob yn rhwystredig. "Sbia, os taw oriawr newydd ddrud neu bentwr o bres sydd gen ti, dwi ddim isio nhw, iawn?"

Gwenodd Twm. "Na, dim ond Twix sydd gen i. Ro'n i'n meddwl y gallen ni ei rannu fo."

Estynnodd Twm am y siocled a chwarddodd Bob. Chwarddodd Twm hefyd. Tynnodd y papur ac estyn un o'r bysedd siocled i Bob. Ond pan oedd Twm ar fin llowcio'r fisged fendigedig wedi'i gorchuddio â charamel a siocled, daeth bloedd o'r gegin:

"Twm? Gwell i ti ddod yn gyflym. Mae dy dad ar y teledu ..."

25

Wedi'i Ddryllio'n Llwyr

Wedi'i ddryllio'n llwyr. Dyna'r unig ymadrodd i ddisgrifio sut yr edrychai tad Twm. Safai y tu allan i Lys Sychdin yn ei byjamas sidan. Siaradai'n syth i lygad y camera. Roedd ôl dagrau ar ei lygaid coch.

"Dwi wedi colli popeth," meddai'n araf, ei holl wyneb wedi'i ddryllio ag emosiwn. "Ond y cyfan dwi isio yw fy mab yn ôl. Fy mab hyfryd."

Yna llifodd y dagrau unwaith eto a gorfod i Mr Sglods ddal ei wynt.

Edrychodd Twm draw at Bob a'i fam. Roedden nhw'n sefyll yn y gegin yn syllu ar y sgrin. "Beth mae o'n feddwl – wedi colli popeth?"

"Roedd o ar y newyddion jyst rŵan," atebodd mam Bob. "Mae pawb yn ceisio cael iawndal gan dy dad. Mae Sychdin wedi achosi i benolau pawb droi'n biws."

"*Beth*?" gofynnodd Twm. Trodd yn ôl at y teledu.

"Os wyt ti'n gwylio allan yna'n rhywle, 'machgen i ... Tyrd adra. Plis. Dwi'n erfyn arnat ti. Mae arna i dy angen di. Dwi'n gweld dy isio di gymaint ..."

Estynnodd Twm ei law a chyffwrdd y sgrin. Gallai deimlo dagrau'n cronni yng nghorneli ei lygaid. Dawnsiodd mymryn o statig ar flaenau ei fysedd.

"Gwell i ti fynd ato fo," meddai Bob.

"Ie," mwmiodd Twm, yn rhy gegrwth i symud.

"Os oes angen rhywle i aros arnat ti a dy dad, mae croeso i chi'ch dau yma," meddai mam Bob.

"Oes, wrth gwrs," cytunodd Bob.

"Diolch o galon i chi. Fe ddyweda i wrtho fo," meddai Twm. "Reit, gwell i fi fynd."

"Iawn," meddai Bob. Agorodd ei freichiau a rhoi anferth o gwtsh i Twm. Fedrai Twm ddim cofio pryd oedd y tro diwethaf i rywun ei gwtsho. Dyna un peth na allai arian ei brynu. Roedd Bob yn un da am roi cwtsh hefyd. Roedd o'n gwtshlyd o feddal.

"Wela i chi wedyn, am wn i," meddai Twm.

"Fe wna i bastai'r bugail i ni," meddai mam Bob dan wenu.

"Mae fy nhad wrth ei fodd efo pastai'r bugail," atebodd Twm.

"Dwi'n cofio hynny," meddai mam Bob. "Ro'n i a dy dad yn yr ysgol efo'n gilydd."

"Wir?" gofynnodd Twm.

"Oedden. Roedd ganddo fo ychydig mwy o wallt ac ychydig llai o bres bryd hynny!" chwarddodd, gan dynnu coes.

Gadawodd Twm iddo'i hun chwerthin. "Diolch o galon i chi."

Doedd y lifft ddim yn gweithio felly aeth Twm ar ras i lawr y grisiau, gan fownsio oddi ar y waliau wrth fynd. Rhedodd i'r maes parcio lle roedd Huw yn aros amdano.

"Llys Sychdin, Huw – a thân 'dani!"

Pedlodd Huw nerth ei draed ac ymlwybrodd y beic tair olwyn pinc ling-di-long i lawr y stryd. Wrth fynd heibio i siop bapurau arall sylwodd Twm ar benawdau'r papurau newydd a'r cylchgronau a safai'n bentwr y tu allan. Roedd llun ei dad ar bob tudalen flaen.

SGANDAL SYCHDIN meddai'r *Western Mail.*

SGLODS Y BILIWNYDD YN WYNEBU DISTRYW cyhoeddai'r *Daily Post.*

SYCHDIN – NIWEIDIOL I BENOLAU ebychai'r *Herald.*

YDI'CH PEN-ÔL CHI'N BIWS? holai'r *Journal.*

HUNLLEF PENOLAU PIWS SYCHDIN! sgrechiai *Golwg.*

ECSCLIWSIF: PEN-ÔL BABŴN Y FRENHINES! honnai'r *Cymro.*

ARSWYD Y PENOLAU PORFFOR bloeddiai'r *Chronicle.*

SALI MALI I NEWID STEIL EI GWALLT nodai *Lol.*

Wel, bron pob tudalen flaen.

"Roeddet ti'n iawn, Huw!" meddai Twm, wrth

iddyn nhw wibio i fyny'r ffordd fawr.

"Ynglŷn â beth yn benodol?" atebodd y siopwr, wrth fopio'r chwys oddi ar ei dalcen.

"Ynglŷn â Sychdin. Mae o wedi achosi i benolau pawb droi'n biws!"

"Fe ddywedais i! Wnest ti archwilio dy un di?"

Roedd cymaint wedi digwydd ers iddo adael siop Huw y prynhawn cynt fel iddo anghofio'n llwyr am hynny. "Naddo."

"Wel?" anogodd Huw.

"Stopia!"

"Beth?"

"Stopia, ddywedais i!"

Gwyrodd yr Huwgerbyd yn sydyn tuag at y palmant. Neidiodd Twm oddi arno, edrych dros ei ysgwydd a thynnu cefn ei drywsus i lawr fymryn bach.

"Wel?" holodd Huw.

Edrychodd Twm i lawr. Syllai dwy foch biws chwyddedig yn ôl arno. "Mae o'n biws!"

Dewch i ni gael edrych eto ar graff Huw. Petai pen-ôl Twm yn cael ei ychwanegu ato, byddai'n edrych fel hyn:

Pa mor biws?

Planhigyn wy
Paent Piws
Llyfrau'r Parot Piws
Tusw o Glychau'r Gog
Y Tebot Piws
Pen-ôl Huw
Pen-ôl Twm

Yn fyr, roedd pen ôl Twm yn **hynod hynod**

hynod hynod hynod hynod hynod hynod hynod

... biws.

Tynnodd Twm ei drywsus i fyny a neidio yn ôl ar gefn yr Huwgerbyd. "Ffwrdd â ni!"

Wrth iddyn nhw nesáu at Lys Sychdin, gwelodd Twm fod cannoedd o newyddiadurwyr a chriwiau teledu yn aros y tu allan i giatiau ei gartref. Wrth iddyn nhw agosáu, trodd y camerau i gyd tuag atyn nhw, a fflachiodd cannoedd o fflachiadau. Roedden nhw'n eu hatal rhag mynd cam ymhellach, a doedd dim dewis gan Huw ond dod â'r beic i stop.

"Rwyt ti'n fyw ar *Newyddion* S4C! Sut wyt ti, Twm, yn teimlo am y ffaith fod dy dad yn wynebu distryw ariannol?"

Roedd Twm wedi'i synnu gormod i ateb, ond parhau i weiddi eu cwestiynau ato wnaeth y gohebwyr mewn cotiau glaw.

"*Taro'r Post*, BBC Radio Cymru. A fydd yna

becyn iawndal i'r miliynau o bobl ar draws y byd sydd bellach â phenolau piws?"

"*Wales at 6*, ITV. Wyt ti'n meddwl y bydd yn rhaid i dy dad wynebu cyhuddiadau troseddol?"

Cliriodd Huw ei wddf. "Os caf i wneud datganiad byr, foneddigion."

Trodd yr holl gamerau tuag at y siopwr a chafwyd tawelwch llethol am foment.

"Yn siop Huw ar Stryd y Werin mae 'na gynnig arbennig iawn ar greision caws a nionod. Prynwch ddeg pecyn ac fe gewch un am ddim! Am gyfnod penodol yn unig, cofiwch."

Ochneidiodd y newyddiadurwyr yn uchel a mwmian yn flin.

Ding ding!

Canodd Huw gloch ei feic pinc a gwasgarodd y môr o ohebwyr er mwyn gwneud lle iddo fo a Twm.

"Diolch o galon!" meddai Huw yn llon. "Ac mae gen i ambell far o siocled sydd yn werth eu cael – dim ond rhyw fymryn o lwydni sydd arnyn nhw!"

26

Lluwchwynt o Arian Papur

Wrth i Huw bedlo'n galed ar hyd y lôn a arweiniai at y tŷ, cafodd Twm syndod o weld bod llynges o lorïau eisoes wedi'u parcio wrth y drws ffrynt. Roedd byddin o bobl gyhyrog mewn siacedi lledr yn cario holl baentiadau a siandelïers ei dad, yn ogystal â'i glybiau golff wedi'u gorchuddio â diemwntau, allan o'r tŷ. Brysiodd Rhosyn heibio i Twm mewn pâr o sodlau amhosib o uchel, gan gario cês enfawr a bagiau llaw niferus.

"Mas o'm ffordd i, glou!" hisiodd.

"Ble mae 'nhad i?" mynnodd Twm.

"Sa i'n gwbod a sa i'n becso! Ma'r twpsyn wedi

colli ei arian i gyd!"

Wrth iddi redeg lawr y grisiau torrodd y sawdl oddi ar un o'i hesgidiau a chafodd godwm. Disgynnodd y cês â chrash ar y llawr cerrig a ffrwydro ar agor. Chwyrlïodd lluwchwynt o arian papur i'r awyr. Dechreuodd Rhosyn sgrechian a chrio, ac wrth i'r masgara lifo i lawr ei bochau neidiodd ar ei thraed gan geisio'i gorau i'w dal. Edrychodd Twm yn ôl arni â chymysgedd o ddicter a thosturi.

Yna, aeth Twm ar ras i mewn i'r tŷ. Doedd dim eiddo ynddo bellach. Ymladdodd Twm heibio i'r beilïaid a rhedeg nerth ei draed i fyny'r grisiau tro crand. Aeth heibio i ddau ddyn cydnerth yn cario cannoedd o filltiroedd o'i drac Scalextric. Am chwarter eiliad profodd Twm frathiad o edifeirwch, ond rhedodd yn ei flaen cyn rhuthro i mewn i ystafell wely ei dad. Roedd yr ystafell yn wyn ac yn foel, a llenwyd hi â rhyw wacter tawel. Gwelodd

Twm ei dad yn ei gwman ar fatres ar lawr. Roedd ei gefn at y drws, a'r cyfan a wisgai oedd fest a phâr o drôns. Sylwodd Twm ar ei freichiau tewion, blewog ac ar ei ben moel; roedden nhw wedi mynd â'i wallt gosod, hyd yn oed.

"Dad!" gwaeddodd Twm.

"Twm!" Trodd Dad ato. Roedd ôl crio ar ei wyneb coch, amrwd. "'Machgen i, 'machgen i! Fe ddest ti adra!"

"Mae'n flin gen i am redeg i ffwrdd, Dad."

"Dwi'n torri 'ngalon am i mi dy frifo di efo'r busnes Elliw 'na. Ro'n i am dy weld di'n hapus yn fwy na dim arall yn y byd."

"Wn i, wn i, dwi'n maddau i ti, Dad." Eisteddodd Twm i lawr wrth ei ymyl.

"Dwi wedi colli popeth. Popeth. Ma' Rhosyn wedi mynd, hyd yn oed."

"Dwi ddim yn siŵr os taw hi oedd yr un i ti, Dad."

"Na?"

"Na," atebodd Twm gan geisio peidio ag ysgwyd ei ben yn rhy galed.

"Na, falle ddim," meddai Dad. "Nawr, does gynnon ni ddim tŷ, dim pres, dim jet bersonol. Beth wnawn ni, 'machgen i?"

Estynnodd Twm i boced ei drywsus a thynnu siec allan ohoni. "Dad?"

"Ie, Twm?"

"Wrth fynd trwy 'mhocedi y dydd o'r blaen fe ddes i ar draws hon."

Astudiodd Dad y siec. Yr un a roddodd i Twm ar ei ben-blwydd oedd hi. Yr un am ddwy filiwn o bunnoedd.

"Wnes i erioed ei thalu hi i'r banc," eglurodd Twm yn gyffrous. "Galli di ei chael hi yn ôl. Wedyn galli di brynu rhywle i ni fyw, a bydd digonedd o bres dros ben."

Edrychodd Dad i fyny ar ei fab. Doedd Twm ddim yn siŵr a oedd o'n hapus neu'n drist.

"Diolch o galon i ti. Rwyt ti'n fachgen gwirioneddol arbennig. Ond mae'n flin gen i ddweud fod y siec yma'n ddiwerth."

"Yn ddiwerth?" meddai Twm mewn syndod. "Pam?"

"Gan nad oes gen i bres ar ôl yn fy nghyfrif banc," esboniodd Dad. "Mae cymaint o achosion cyfreithiol wedi'u dwyn yn fy erbyn i fel bod y banciau wedi rhewi fy nghyfrifon i gyd. Dwi'n fethdalwr. Petaet ti wedi'i thalu hi i'r banc pan roddais hi i ti, fe fyddai gynnon ni ddwy filiwn o bunnoedd o hyd."

Roedd ar Twm ofn ei fod yntau, rywsut, wedi gwneud rhywbeth o'i le. "Wyt ti'n flin efo fi, Dad?"

Edrychodd Dad ar Twm a gwenu. "Na, dwi'n falch na wnest ti ei thalu hi i mewn. Doedd yr holl bres 'na ddim wir yn ein gwneud ni'n hapus, yn nag oedd?"

"Na," cytunodd Twm. "Mewn gwirionedd, roedd o'n ein gwneud ni'n drist. Ac mae'n flin gen i hefyd. Fe ddest ti â fy ngwaith cartref i i'r ysgol ac fe waeddais i arnat ti am godi cywilydd arna i. Roedd Bob yn iawn; dwi wedi ymddwyn fel snichyn bach wedi'i ddifetha ar adegau."

Chwarddodd Dad. "Wel, mymryn bach, falle!"

Tinfownsiodd Twm yn agosach at ei dad. Roedd arno angen cwtsh.

Y foment honno daeth dau feili cyhyrog i'r ystafell. "Mae'n rhaid i ni fynd â'r fatres," mynnodd un.

Ni cheisiodd y Sglods wrthwynebu. Safodd y ddau ar eu traed a gadael i'r dynion gario'r eitem olaf o'r ystafell.

Plygodd Dad draw a sibrwd rhywbeth yng nghlust ei fab. "Oes oes rhywbeth rwyt ti isio'i fachu o dy stafell, 'machgen i, dos rŵan."

"Does arna i ddim angen dim byd, Dad," atebodd Twm.

"Mae'n rhaid bod rhywbeth. Sbectols haul ddrudfawr, oriawr aur, dy iPod di "

Gwyliodd y ddau wrth i'r dynion gario'r fatres o ystafell Mr Sglods. Roedd hi bellach yn gwbl wag.

Meddyliodd Twm am foment. "Mae 'na rywbeth," dywedodd. Diflannodd o'r ystafell.

Symudodd Mr Sglods draw at y ffenest. Gwyliodd yn ddiymadferth wrth i'r bobl yn eu siacedi lledr gario'i holl eiddo o'r tŷ – cyllyll a ffyrc arian, llestri crisial, dodrefn hynafol, popeth – a'u llwytho i'r lorïau.

Ailymddangosodd Twm mewn rhai eiliadau.

"Lwyddaist ti i fachu rhywbeth?" holodd ei dad yn eiddgar.

"Dim ond un peth."

Agorodd Twm ei law a dangos y roced wedi'i gwneud o roliau papur tŷ bach i'w dad.

"Ond pam?" holodd Dad. Fedrai o ddim coelio bod ei fab wedi cadw'r hen beth, heb sôn am ei dewis fel yr un peth yr oedd am ei achub o'r tŷ.

"Dyma'r peth gorau a roddaist i fi erioed," meddai Twm.

Llenwodd llygaid Dad â dagrau. "Ond dim ond rolyn tŷ bach yn sownd wrth rolyn tŷ bach arall ydi o."

"Wn i," meddai Twm. "Ond cafodd ei wneud â chariad. Ac mae'n golygu mwy na'r holl bethau drud 'na y gwnest ti eu prynu i fi."

Crynodd Dad gan emosiwn, a lapio'i freichiau byrion, tew, blewog o gwmpas ei fab. Rhoddodd Twm ei freichiau byrion, tew, llai blewog yntau o gwmpas ei dad. Gorffwysodd ei ben ar frest ei dad a sylwi ei fod yn wlyb gan ddagrau.

"Dwi'n dy garu di, Dad."

"Dwi'n dy garu di hefyd, 'machgen i."

"Dad ...?" gofynnodd Twm yn ansicr.

"Ie?"

"Hoffet ti gael pastai'r bugail i swper?"

"Yn fwy na dim yn y byd," meddai Dad yn wên o glust i glust.

Cydiodd y tad a'r mab yn dynn yn ei gilydd.

O'r diwedd, roedd gan Twm bopeth yr oedd arno'i angen.

Ôl-nodyn

Felly, beth ddigwyddodd i holl gymeriadau'r stori?

Roedd Mr Sglods wedi gwirioni cymaint â phastai'r bugail mam Bob fel y priododd hi. Bellach maen nhw'n ei fwyta bob nos i swper.

Nid yn unig y parhaodd Twm a Bob yn ffrindiau gorau, fe ddaethon nhw'n llysfrodyr hefyd pan briododd eu rhieni.

Dyweddïodd Rhosyn â thîm pêl-droed o'r Uwchgynghrair.

Dechreuodd Huw a Mr Sglods gydweithio ar nifer o syniadau, yn y gobaith o wneud llond trol o arian. Y Kit Kat pum bys. Y Mars Bar maint brenhines (rhwng y maint brenin a'r maint arferol). Losin mintys blas *vindaloo*. Wrth i'r llyfr hwn fynd i'r wasg doedd yr un o'r syniadau wedi gwneud yr un dimai goch iddyn nhw.

Ni lwyddodd unrhyw un i ddarganfod pa Sgram oedd y bachgen a pha un oedd y ferch. Dim hyd yn oed eu rhieni.

Cafodd yr efeilliaid eu hanfon i wersyll arbennig ar gyfer troseddwyr ifanc yn Lloegr.

Ymddeolodd y prifathro, Mr Bowen, o'r ysgol ar ei ben-blwydd yn gant oed.

Bellach mae'n rasio beiciau modur yn llawn amser.

Cafodd Miss Malais, yr athrawes Hanes, ei hailapwyntio i'w swydd.

Gorfododd Twm i gasglu sbwriel bob dydd am weddill ei oes.

Newidiodd yr athro â'r enw anffodus, Dai O'Rea, ei enw. I Marged Jenkins. Wnaeth hynny ddim helpu rhyw lawer ar bethau.

Parhaodd Elliw â'i gyrfa actio. Yr uchafbwynt oedd ymweld ag Aberystwyth a chael rhan yn y gyfres ddrama *Y Gwyll*. Fel corff marw.

Ni lwyddodd ysgrifenyddes y prifathro, Mrs Plwmp, i godi o'i chadair. Mae'n dal yno.

Arhosodd pen-ôl y frenhines yn biws. Dangosodd ef i bawb trwy'r wlad wrth draddodi ei haraith flynyddol ar ddiwrnod Nadolig.

Ac, i gloi, cyhoeddodd y ddynes ginio lyfr coginio hynod lwyddiannus, *101 o Seigiau Sawrus Mrs Slwtsh*, ar gael yn fuan gan *Atebol*.

Llyfrau eraill yn y Gymraeg gan

David Walliams

Cyfrinach Nana Crwca

Deintydd Dieflig

Mr Ffiaidd

Anti Afiach

Yr Hipo Cyntaf ar y Lleuad

Yr Eliffant Eithaf Digywilydd

Yr Arth a fu'n Bloeddio Bw!

Allan rŵan!

£7.99

www.atebol.com